Scrittori italiani e

C000127816

Luca Bianchini

# Le mogli hanno sempre ragione

ROMANZO

**MONDADORI**

Dello stesso autore in edizione Mondadori

*Baci da Polignano*
*So che un giorno tornerai*
*Nessuno come noi*
*Dimmi che credi al destino*
*La cena di Natale*
*Io che amo solo te*
*Siamo solo amici*
*Se domani farà bel tempo*
*Eros – Lo giuro*
*Ti seguo ogni notte*
*Instant Love*

Facebook: Luca Bianchini
Instagram: lucabianchiniofficial

 mondadori.it

*Le mogli hanno sempre ragione*
di Luca Bianchini
Collezione Scrittori italiani e stranieri

ISBN 978-88-04-74622-5

© 2022 Mondadori Libri S.p.A., Milano
Pubblicato in accordo con S&P Literary - Agenzia letteraria Sosia & Pistoia
I edizione marzo 2022

# Le mogli hanno sempre ragione

*A Livio Bianchini, mio padre,*
*che qualche volta ha ragione anche lui*

Pochi di noi sono davvero quello che sembrano.

AGATHA CHRISTIE, *Partners in crime*

# 1

Il sole non aveva alcuna intenzione di andarsene. Continuava a perdere tempo come un ospite che a fine serata si ferma sulla porta, accende un'altra sigaretta e ti racconta la storia della sua vita. Tu lo lasci parlare e, quando ormai pensi di aver ascoltato tutto, lui ti trafigge con un ultimo raggio, un piccolo miracolo fra le tende per dirti ancora qualcosa.

"Non può andare male proprio oggi" pensò il maresciallo Gino Clemente affacciato alla finestra della sua casa a Port'Alga. Aveva sognato quel giorno fin da bambino: la festa di San Vito da comandante della stazione dei carabinieri del suo paese. Mai avrebbe immaginato che il suo desiderio si sarebbe avverato, soprattutto di lunedì.

Ma a Polignano soffiava un grecale impertinente, noncurante dei sentimenti umani, minacciando l'evento che da sempre dava il benvenuto all'estate. Il mare sbraitava senza sosta e Gino lo scrutava preoccupato sperando che prima o poi si placasse. Uscì sul terrazzino e si sporse sulle rocce rivolgendo una preghiera allo scoglio dell'Eremita dove, secondo lui, si concentravano la magia dell'acqua e i misteri del cielo, e la piccola luce che si era accesa tra le nuvole gli ridiede speranza.

Le onde però presero la rincorsa per infrangersi sugli scogli con maggior forza, e gli schizzi che lo colpirono fecero sembrare il suo volto rigato di lacrime. Prima di bagnarsi del tutto decise di rientrare per indossare la "grande uniforme" con tanto di medaglie e sciabola, senza dimenticare un capo imprescindibile del suo guardaroba: la canottiera bianca.

«Asciugati bene che ancora ti raffreddi» gli disse sua moglie Felicetta che da giorni lo osservava in silenzio, ma lui neanche la sentì. L'unico a cui dava retta era il suo labrador, che gli girava intorno chiedendogli di uscire di nuovo, come facevano di solito al tramonto, quando andavano a pescare. Al maresciallo piaceva stare con lui all'imbrunire, mentre i ricordi riaffioravano dal passato mettendogli addosso un po' di malinconia.

Quando si sentiva così, il cielo di Polignano sapeva sempre cosa dirgli, anche se in quel momento sembrava solo ripetergli "questa processione non s'ha da fare". Così, dopo essersi rivolto alla croce, una volta tornato in camera parlò direttamente al Santo.

"Vito bello, senti a me... ma perché? Perché fai così? L'anno prossimo vado in pensione. Sono dimagrito due chili e mezzo per entrare in questa benedetta alta uniforme. Se la cosa salta, mia moglie mi sfotte fino a Natale. Quindi vedi di calare sto vento, *scià*..."

In paese erano tutti in apprensione perché già nei due anni precedenti la processione per mare era stata annullata, e se fosse successo di nuovo sarebbe apparsa quasi una maledizione o il segno che il Santo era molto arrabbiato.

Il cielo iniziava a sfoggiare uno dei suoi blu più intensi. Negli ultimi trent'anni al maresciallo quel colore era mancato quasi più del mare stesso. La sua carriera nei carabinieri l'aveva portato lontano, prima alla scuola sottufficiali di Firenze, poi alla squadra antidroga di Parma, dove una volta aveva trovato un chilo e mezzo di cocaina e quella era stata la sua unica grande "impresa". Ma la maggior parte del tempo l'aveva trascorsa a Bologna, dove per tutti non era mai "Gino" ma solo "Clemente" – *cognomen omen* –, sempre combattuto tra i tortellini e i passatelli in brodo del ristorante Donatello. In quella città, per molto tempo, si era occupato dei trasferimenti degli altri carabinieri senza mai riuscire a ottenere il proprio.

Con l'avvicinarsi della pensione, un generale si era finalmente preso cura del suo caso e gli aveva affidato la destinazione che attendeva da sempre: Polignano a Mare. «Un premio per la tua carriera» gli aveva detto, ma lui sapeva che ormai sarebbe stato solo un tappabuchi in attesa che il suo rivale di Monopoli terminasse l'indagine che stava seguendo. Dell'esperienza in Emilia gli era rimasto Brinkley, un cane dell'unità cinofila in pensione. Il nome lo aveva scelto sua moglie, con l'attenzione che avrebbe riservato a un figlio, forse perché non ne avevano avuti. «È il nome del labrador di *C'è posta per te*» diceva, e tutti pensavano al programma della De Filippi invece che al film con Meg Ryan.

Dopo l'entusiasmo di essere tornato al suo paese natale, quel giorno, di fronte a un mare decisamente poco calmo, il maresciallo sentì di aver perso ogni sicurezza. La festa di San Vito gli faceva tornare in mente suo padre, da cui aveva ereditato gli occhi verdi, una rarità da quelle parti.

I polignanesi avevano vissuto quel giorno di attesa e devozione senza mai perdere di vista le onde: «vedrai che quando è il momento calano» dicevano tutti senza esserne pienamente convinti. Le più fiduciose erano le vecchiette, disposte a trascorrere la notte a vegliare il Santo in piazza dell'Orologio.

Felicetta era invece piuttosto scettica e aveva scelto di assistere al passaggio della processione per mare da casa sua: «sempre se ce la fa» aggiungeva, come se si trattasse del carico di lupini dei Malavoglia.

Lei amava punzecchiare suo marito ed era una donna un po' particolare: quando riceveva ospiti era una pugliese doc, pronta a disquisire fino a notte fonda sul modo migliore di cucinare le strascinate con le cime di rapa. Se era sola dipingeva ceramiche.

Quando il maresciallo si affacciò in cucina la trovò intenta a friggere melanzane come se non ci fosse un domani. Quella sera, aveva invitato a cena un'amica vedova conosciuta attraverso il gruppo Facebook "Polignanesi forever" che in anni di lontananza le aveva tenute in contatto. Era stata lei a segnalarle la vendita di quella casa – che loro chiamavano affettuosamente "la casupola" – in uno dei posti più impervi e poetici vicino allo scoglio dell'Eremita: preceduta dal verde, vegliata da tre palme e a due passi dalle rocce. Dietro la scogliera, come in un finale, il mare. Felicetta preferiva restare lì con l'amica piuttosto che accettare l'invito inatteso della signora Matilde per l'"apericena", così l'aveva definito lei, in onore della nipotina.

In realtà non aveva capito che il vero invitato era suo marito, il maresciallo, e che la festa di Matilde, ex signora Scagliusi, era solo un pretesto per mostrare a tutti la fantasmagorica masseria che lei e il suo Pasqualino si erano regalati. Dati i tempi biblici di arrivo della cucina – e le difficoltà dovute al montaggio della penisola snack – la festa era stata posticipata a quella sera, e con l'occasione della celebrazione del santo patrono aveva assunto «un certo appeal», come aveva detto Matilde a Lucia Coiffeur.

Ma Felicetta era poco interessata alle apparenze e suo marito l'amava anche per quello. Per lui, che aveva atteso la pensione per anni, in effetti non ci sarebbe stata cosa più bella che festeggiare San Vito con una parmigiana notturna.

«Com'è che a quest'ora non mi hai rubato nemmeno una melanzana?»

«Ho lo stomaco chiuso. Se il mare continua così la processione salta. Ma proprio stavolta doveva succedere?»

«Veramente sarebbe il terzo anno.» A Felicetta venne da sorridere, lei che trovava i polignanesi sempre un po' bambini, come il santo che li proteggeva. «Ora non ci pensare... scendi giù al tuo teatro Ariston. Ti rilassi dieci minuti, poi ti metti l'uniforme e vai all'abbazia. Cosa farà il mare non dipende da te.»

«A che ora viene la tua amica?»

«Io le ho detto alle nove e mezzo perché è sempre in anticipo, mamma che ansia. A me quelli che arrivano prima mi danno ai nervi. Perché se ti dico un orario arrivi mezz'ora prima? Poi aggiungono: *Sai, se ti serve una mano...* Ma se mi serviva una mano te lo dicevo io, no?»

Ecco un'altra cosa che il maresciallo apprezzava di sua moglie:

s'infervorava per le cazzate. Era una donna che aveva il dono della leggerezza, ma si prendeva sempre molto sul serio.

Lui invece si prendeva sul serio solo quando cantava al karaoke, la sua vera passione. E una delle ragioni per cui aveva voluto la casupola sul mare era che poteva allestire la tavernetta come una vecchia sala juke-box. Lì si apriva il suo piccolo mondo antico. Amava quelle basi anni Ottanta che facevano assomigliare *Sarà perché ti amo* dei Ricchi e Poveri a *Vecchio frac* di Domenico Modugno. Di lui teneva anche una piccola foto dei tempi di *Volare,* incorniciata come una reliquia: «Mimmo, aiutami tu» gli disse prima di restare in canottiera e accendere il microfono.

Bastava una canzone e il maresciallo si sentiva sul palco di Sanremo, e chissà che quello spirito fanciullesco non avrebbe convinto San Vito a calmare il mare.

## 2

Il miracolo era avvenuto: il vento era calato e le onde si erano abbassate.

Il maresciallo continuava a chiamare i colleghi per sapere com'era la situazione all'abbazia di San Vito, a cominciare dalla brigadiera Agata De Razza, con cui aveva un rapporto un po' conflittuale. Ma c'era così tanta gente ad attendere il Santo che molti cellulari non prendevano. O forse, pensava lui, li tenevano spenti per non dargli la brutta notizia.

Felicetta gli aveva detto «io ti aspetto a casa», e non capiva se fosse un buon auspicio o una minaccia. Lei, pur essendo in un certo senso la sua "first lady", era l'esatto contrario: non voleva apparire, anzi se poteva si sottraeva ai privilegi che il paese le riservava.

Il maresciallo, dopo aver salutato Brinkley che aveva abbaiato un bel po' perché non era abituato a vederlo con il pennacchio in testa, arrivò a San Vito evitando il centro affollato di Polignano.

Giunto nei pressi dell'abbazia non riuscì a capire se la gente accalcata fosse più euforica o isterica: appena vide i suoi ragazzi, diede un colpo di clacson e la folla si aprì come le acque di Mosè. «Il maresciallo Clemente! Il maresciallo Clemente! Ecco Gino!» gridavano tutti, e lui gonfiò il petto.

Ma la cosa che più lo emozionò, mentre affidava la sua auto a mani esperte, era il grecale che aveva magicamente rallentato la sua corsa. Chissà se erano state le sue preghiere rivolte allo sco-

glio dell'Eremita, la benedizione di "Mimmo" o se – più semplicemente – "così ha voluto San Vito".

Lo zatterone che avrebbe ospitato la statua del Santo era stato
ormeggiato nella piccola baia antistante l'abbazia, mentre padre
Gianni, il parroco di Polignano, finiva di celebrare la messa.

Intanto, un bel numero di barche si stava disponendo in attesa
che il corteo per mare partisse.

In prima fila, su una specie di galeone noleggiato per l'occasione,
si distinguevano gli Scagliusi al gran completo, una famiglia molto chiacchierata in paese e ormai decisamente allargata. Don Mimì
e Matilde si erano separati ma lei continuava a sentirsi "la signora
Scagliusi", come se quel cognome fosse un marchio di fabbrica, anche se il business delle patate non andava più bene come un tempo. Don Mimì si era finalmente fidanzato con Ninella, la sua consuocera, dopo una vita trascorsa ad amarla, mentre Matilde aveva
una relazione stabile con il tuttofare dell'azienda, Pasqualino, che
non si sentiva più il miracolato di turno. La grande reunion era dovuta al compleanno della nipotina, Gaia, che aveva già spento le
candeline sulla torta con gli amichetti, ma nonna Maty aveva voluto organizzare qualcosa in grande proprio per mettere a tacere
le voci sui loro problemi finanziari.

Quindi cosa c'era di meglio di un piccolo party durante le celebrazioni di San Vito? La festicciola però pareva insufficiente, allora Matilde l'aveva definita "apericena". Ma l'apericena sembrava
un po' "vorrei ma non posso", e allora ci aveva aggiunto anche la
gita in barca per seguire la processione. E se la barca ce l'avevano
tutti, ci voleva il galeone.

Matilde stava sul ponticello che collegava il molo a quella specie
di veliero e faceva salire gli ospiti uno per uno chiamandoli come
se fosse l'appello di una guida turistica: «Prima Damiano, mio figlio... poi sua moglie Chiara, eccola... la mia stupenda nipotina
Gaia... l'altro mio figlio Orlando... bello che sei... con la sua amica
Daniela... e poi... e poi...».

Don Mimì e Ninella erano gli ultimi della fila e non sapevano cosa aspettarsi. Lui era particolarmente nervoso, in quanto ex marito che si era messo con la consuocera. Matilde attese un attimo per scegliere l'appellativo più adatto, e optò per quello che pensava potesse ferirlo di più.

«... E poi ecco quello più avanti con l'età... il nonno Mimì.»

Lui salì senza battere ciglio e si voltò a osservare Ninella: la schiena dritta la faceva sembrare più alta, mentre i capelli accarezzati dal grecale la rendevano quasi botticelliana. Matilde non riuscì a trovare nessuna parola per mortificarla.

«E dopo il nonno... l'altra nonna di Gaia... e la madre di mia nuora Chiara...»

Ninella fu l'unica a non essere chiamata per nome, ma la sua espressione non tradì alcun sentimento. Per fortuna il galeone era già in moto e la partenza dissolse ogni imbarazzo.

A fare da skipper c'era Pasqualino, che cercava di posizionarsi nel punto migliore per accodarsi allo zatterone del Santo come gli aveva ordinato Matilde. Tutti gli occupanti delle barche, anche quelle che stavano raggiungendo la baia dagli altri porticcioli, erano incuriositi dall'imponenza di quel galeone, ma l'invidia iniziale lasciò subito spazio al cinico realismo di provincia: «Di sicuro l'hanno noleggiato».

Per togliersi gli occhi di dosso, ci volle l'apparizione della statua di San Vito che usciva dall'abbazia vestito a festa: abbellito da rose rosse, il braccio in alto a tenere la croce, veniva portato in trionfo da padre Gianni che da settimane si allenava tutte le mattine per non farsi trovare impreparato per quella che considerava una vera e propria Olimpiade.

La sua sagoma nera spiccava di fianco al Santo, in mezzo a un tripudio di mani che lo volevano toccare: «Evviva San Vito! Evviva San Vito! Evviva San Vito!» gridò, e tutte le barche suonarono le loro sirene a festa. L'emozione era palpabile, e il mare appena increspato una specie di ologramma.

Nella folla, circondato da un drappello di carabinieri, si distingueva anche il maresciallo Clemente in alta uniforme che, dopo i due chili persi, gli calzava a pennello. Accanto a lui, il sindaco e il presidente del comitato di San Vito, ammessi entrambi a salire sullo zatterone.

L'apparizione del Santo fece riaprire a Ninella il cassetto dei ricordi: si rivide in processione con le sue figlie piccole a cercare gli occhi di Mimì, che ora la guardava un po' preoccupato in ostaggio della famiglia. A percepire una sottile tensione erano soprattutto i due giovani fratelli Scagliusi, che avendo assistito all'imbarco "del nonno" sul molo cercavano a proprio modo di alleggerire l'atmosfera: Orlando cominciò a fare video a tutti con la sua amica Daniela, mentre Damiano e sua moglie Chiara salutavano gli altri equipaggi con la manina, come se fossero membri della famiglia reale.

Padre Gianni, prima di partire, recitò una preghiera per le barche presenti. Fra tutte, il galeone degli Scagliusi era riuscito a rubare la scena anche a San Vito, che procedeva lentamente senza curarsi del brusio alle proprie spalle.

Il mare non era ancora del tutto piatto, ma lo zatterone venne comunque autorizzato dalla capitaneria a fare il giro lungo, costeggiando quella scogliera unica al mondo in cui le case sembrano aggrappate alla roccia quasi come gli abitanti alle tradizioni.

Quando il maresciallo arrivò sotto la "casupola", i suoi occhi verdi diventarono piccole fessure accese: sua moglie era in piedi sugli scogli e sventolava una rosa rossa come quelle del Santo. Tutte le barche iniziarono a salutarla come se fosse Madre Teresa. Per un attimo, Felicetta catturò l'attenzione dell'intera processione e di suo marito, che era tentato di dire a tutti "quella è mia moglie!", ma si limitò a levarsi il cappello e a salutarla facendo muovere il pennacchio. Anche Brinkley, accanto a Felicetta, cominciò ad abbaiare e di colpo tutti capirono che quella era la signora Clemente. Lui aprì la sua ruota di pavone neanche fosse Pavarotti al Metropolitan di New York, mentre il cielo iniziava a cambiare colore.

Il ritorno verso Cala Paura, dove sarebbe sbarcato il Santo, filò liscio come l'olio e le barche seguirono la processione senza perdere mai di vista ciò che succedeva sul galeone. Matilde pensò che forse avrebbe potuto organizzare l'apericena per la bambina un altro giorno, ma come sempre aveva voluto strafare.

Doveva essere l'inaugurazione della masseria più spettacolare di sempre, con lunghe sessioni di fuochi d'artificio oltre al menu peruviano preparato da Adoración, ormai vera protagonista della vita domestica. Assunta come tata per la nipotina perché parlava spagnolo, era diventata nel tempo anche cuoca, cameriera e governante, alter ego della padrona di casa in tutto e per tutto.

La statua del Santo stava intanto terminando il suo peregrinare in mare per cominciarne un altro nelle vie del paese che si sarebbe concluso, in serata, in piazza dell'Orologio.

Man mano che lo zatterone si avvicinava a Cala Paura, padre Gianni sentiva crescere un po' di tensione. Era arrivato il suo momento. Dopo aver tirato un lungo sospiro, mentre i polignanesi assiepati lo acclamavano, saltò a terra spostando di corsa la statua su per la salita dove, ad attenderlo, c'erano i devoti che si erano aggiudicati il diritto di portarla in spalla, a suon di offerte nelle buste. Quella più alta, a nome di tutti gli Scagliusi, l'aveva fatta Matilde che si sentì autorizzata a farsi strada tra la calca per dire al parroco che le avrebbe fatto piacere se fosse passato in masseria. «Almeno per una fetta di torta» aveva aggiunto.

Padre Gianni aveva ancora il fiatone e quel senso di sollievo che solo un traguardo può dare: si sentiva il Marcell Jacobs del Sudest barese. Tutto avrebbe voluto, tranne una richiesta a cui era impossibile dire no. Guardò il maresciallo Clemente sopraggiunto in quell'istante. Matilde ribadì anche a lui l'invito: «Mi spiace ma devo seguire la processione e mia moglie ha un impegno» le disse con tono perentorio. All'ex signora Scagliusi non restò che guardare di nuovo padre Gianni, che a sua volta guardò San Vito, che a sua volta aveva gli occhi al cielo e non sapeva cosa rispondergli.

# 3

Per capire chi abita una casa, basta guardare la cucina.

È un luogo che dice quasi sempre la verità, e un occhio attento riesce a coglierne l'essenza, al di là delle dimensioni e dei mobili.

Quella di Matilde era pura esibizione: tutta in acciaio lucido, con un set di pentole antiaderenti degne di una televendita e la famigerata "penisola snack", come la chiamavano in paese, che aveva fatto impazzire il falegname. L'aveva dovuta rifare tre volte per imitare quella del re Felipe di Spagna: Matilde in realtà voleva avere una "penisola iberica" a Polignano, con sgabelli girevoli che per salirci senza cadere ci voleva un piccolo corso. Al centro, come un trofeo, il Bimby sempre in azione sorvegliato dall'insostituibile Adoración Rodríguez – *Adorasiòn!* – che dal Perù aveva trovato l'America in Puglia, dove era venuta per amore ma alla fine si era innamorata del posto. Piccolina, formosa, spesso truccata e sempre con la risposta pronta, si era lentamente conquistata la fiducia di Matilde chiamandola semplicemente "señora". Le aveva fatto scoprire la cucina peruviana, e per l'occasione l'aveva convinta ad assumere anche Ludmilla, la cameriera del suo ex marito Mimì, che in paese chiamavano la sua "badante" o "la povera Ludmilla", perché aveva più di sessant'anni, teneva i capelli corti e aveva gli occhi malinconici come le ragazze dell'Est di Claudio Baglioni.

Per Matilde, il compleanno della bambina era l'occasione per mostrare a tutti quello che lei già chiamava il suo "buen retiro", come se abitasse in una metropoli.

La masseria era grande e si sviluppava su un unico piano, ben mimetizzata fra gli ulivi e circondata da telecamere: la padrona di casa era ossessionata dai furti e voleva che l'esterno fosse sempre controllato. Nessuno era entusiasta all'idea di un "apericena" proprio nel giorno della festa patronale, ma in Puglia si può discutere su tutto tranne che sugli obblighi familiari: oltre al nucleo degli Scagliusi saliti sul galeone, l'invito era stato esteso a poche altre persone che stavano giungendo alla spicciolata.

Matilde e Pasqualino avevano già accolto Chiara e Damiano con la piccola Gaia, la loro vicina con la figlia, oltre a Orlando, Daniela e don Mimì, che si era presentato senza Ninella.

«Ma non è venuta con te?» chiese Matilde seccata al suo ex marito.

«No, aveva un servizio da fare e arriva per conto suo... ma vedrai che arriva.»

«Cosa non si fa pur di farsi notare...» si lasciò sfuggire Matilde, ma don Mimì non le diede peso: mai intromettersi in una guerra fra donne.

Dopo quell'uscita, il re delle patate si impegnò a rasserenare l'ambiente. Si sentiva ancora il padrone di tutto, anche se lì non era intestatario di nulla.

Iniziò a conversare con Lorita, la vicina di Chiara e Damiano originaria di Bitonto, mamma della migliore amica della festeggiata. Non sapendo bene cosa dirle, don Mimì esordì con: «Fa molto caldo a Bitonto?».

Poi, per sembrare galante, e per mostrare a Pasqualino che comandava ancora lui, chiese due calici di champagne ad Adoración, che a sua volta li ordinò a Ludmilla: per lui, un doppio smacco. Non solo il suo factotum era diventato il padrone di casa, ma anche la sua cameriera bielorussa era stata "retrocessa". Robe da pazzi.

«Mi scusi ma... io occhi fuori da orbite quando ho visto che lei invitato. In mio paese non si invitano ex mariti alle feste» disse Ludmilla perfettamente integrata nelle dinamiche polignanesi, lasciando don Mimì senza parole.

Nel salone della masseria, che cominciava ad animarsi soprattutto grazie agli scorrazzamenti felici delle due bambine, un elemento d'arredo attirava l'attenzione generale: l'enorme ritratto della padrona di casa dentro una cornice dorata Luigi XVI.

Daniela ne era ipnotizzata e rideva come una pazza, e fu inutile lo sforzo di Orlando per allontanarla da lì.

«Maty... ma lo voglio anch'io un quadro così a casa mia! Più grande non c'era?»

«Ma fammi un po' capire, ragazza mia: sfotti?»

Daniela venne salvata in corner dal campanello che trillò sulle note di *Brigitte Bardot-Bardot!* come se fosse Capodanno.

Erano la zia Dora e lo zio Modesto, invitati su insistenza di don Mimì in quanto parenti di Ninella, in modo da rafforzare un po' il suo "schieramento". Immancabilmente presenti nei momenti importanti della famiglia, si sentivano migliori solo perché vivevano da anni a Castelfranco Veneto, tendendo a rinnegare le proprie origini. L'espressione che meglio li riassumeva era: «voi meridionali». Da quando avevano ereditato un trullo, però, trascorrevano molto più tempo a Polignano che a Castelfranco. Per nascondere un pizzico d'invidia per quella che ai loro occhi era una "villa palladiana", i due si attaccarono alle trombette che "la povera Ludmilla" distribuiva malinconicamente ai presenti perché sembrasse un po' un party a sorpresa.

Ormai mancava solo Ninella, che arrivò in ritardo apparendo come una Madonna pellegrina: aveva cambiato abito, scegliendone uno di lino bianco che faceva intuire le sue forme, lasciando dietro di sé un profumo che assomigliava alla primavera. Peccato che, oltre al profumo, alle sue spalle ci fosse anche suo fratello Franco, noto per essere un ex galeotto, che nessuno aveva invitato.

Tutti la guardarono con un po' di imbarazzo, tranne Mimì, che l'amava proprio perché faceva sempre qualcosa che lui non si aspettava.

Matilde si sforzò di farsi scivolare addosso quello sgarbo e, dopo aver atteso che anche loro notassero il suo ritratto incorniciato, si lanciò in un nuovo invito: «Ora che finalmente ci siamo tutti, prima di dare inizio all'apericena, vorrei farvi visitare la masseria».

Ninella si avvicinò a Mimì e gli sussurrò «Non ce la posso fare», per poi accodarsi ligia a quella nuova processione di ospiti che li rendeva un po' ridicoli.

«E qui come vedete c'è la cucina con la penisola snack» diceva Matilde sostenuta da Pasqualino, «che è uguale a quella del re Felipe di Spagna.»

Fu di nuovo il citofono a dare una piccola tregua: «Sono la signora Labbate, sono venuta ad accompagnare Nancy...» anticipò in video, per poi riprendere la parola appena raggiunse il gruppo in cucina. «Questa penisola snack è lunghissima!» esclamò entusiasta, ma Pasqualino le precisò subito: «La nostra è una penisola iberica».

«Ormai vi sentite tutti spagnoli qui. Stupenda, vero Nancy? E meno male che ci siamo noi vicini... altrimenti questa ragazza restava ancora bloccata a casa. E poi non sapete come sta messo ora il centro storico mentre passa San Vito... un macello!»

Ninella era furibonda soprattutto con se stessa: per dare retta a suo fratello Franco si era dimenticata che l'altra sua figlia contava su un passaggio, dato che Tony, il suo ragazzo, si allenava a calcio fino a tardi. Alla fine Nancy – che aveva esaurito i giga e il credito del telefono – era stata costretta a chiedere aiuto alla vicina pettegola, che a quel punto ne aveva approfittato per beneficiare della visita guidata in masseria. Non ci poteva credere: non solo riusciva a vedere la nuova magione di Matilde in anteprima, ma addirittura a valutare dal vivo la penisola di cui tanto si parlava in paese.

Il gruppetto passò al salotto tv e alla stanza della bambina, poi ammirò la camera di Matilde e Pasqualino, il bagno "rock", con tanto di copriwater a forma di chitarra – idea di Pasqualino – e infine la stanza di cui la padrona di casa era più orgogliosa: il salottino degli angeli. Una bomboniera dalle pareti rosso pompeiano che dava l'idea "di passato glorioso e di presente solido" come aveva spiegato l'architetto, che aveva insistito per inserire anche uno scrittoio antico pieno di cassettini "per dare all'ambiente un sapore intellettuale".

Da sempre Matilde amava collezionare statuette di angeli, in particolare quelli della Thun, che lei però alternava ad altri «perché non ci sono angeli di serie A e angeli di serie B». Li disponeva su mensole fatte su misura che Ninella guardava con quegli occhi che non sapevano mentire, mentre Mimì continuava a pensare "meno male che io e Matilde non siamo più sposati".

Con il calare del grecale l'aria si era fatta quasi incendiaria. La zia Dora aveva polemicamente tirato fuori un ventaglio, mentre Modesto si asciugava il sudore con uno degli ultimi esemplari di fazzoletti di stoffa.

Bastò quel gesto per far schioccare le dita a Matilde che, con un'occhiata, ordinò ad Adoración di alzare l'aria condizionata. Poi, per mostrare l'abbondanza di spazio anche all'esterno, fece uscire tutti sulla balconata che costeggiava la masseria e che, in corrispondenza del doppio salone, si allargava in un terrazzo affacciato su un "parco di ulivi secolari", anche se di secolari ce n'erano solo due. Lì Matilde aveva fatto allestire un buffet con le cozze alla *cialaca*, avocado ripieni, *empanadas* al forno e crudo di mare a volontà per fugare ogni dubbio sulle loro difficoltà economiche. E naturalmente, per dirla con Peppino di Capri, champagne! Sembrava tutto fuorché il compleanno di una bambina, che intanto giocava con l'amica Pamela nella sua stanza mentre gli ospiti, appena sentita la parola "champagne", si precipitarono in terrazza.

La signora Labbate si limitò a un piccolo brindisi e tornò di corsa in paese per partecipare alla processione, facendo sentire gli invitati un po' in colpa. Matilde era indecisa se chiamare il maresciallo Clemente per un ultimo tentativo di persuasione: averlo nella sua nuova masseria con la moglie le avrebbe garantito, oltre al prestigio, una sorta di immunità. I suoi figli spendevano un capitale in multe per eccesso di velocità e sicuramente avere un amico in caserma avrebbe aiutato. Ma appena ripensò a quegli occhi fermi desistette.

Sua nuora Chiara, intanto, non perdeva d'occhio Damiano, con cui il matrimonio andava avanti tra alti e bassi. A ogni messaggio che lui riceveva sul telefono lei drizzava le antenne e cercava di capire se le stesse nascondendo qualcosa.

A dimostrazione che a volte è meglio essere amici, Orlando e Daniela sembravano i più sereni di tutti. Di fatto, non si prendevano mai sul serio tranne che nel lavoro: erano soci in uno studio di avvocati e avevano approfittato di quella serata noiosa per pianificare la strategia difensiva di un loro assistito.

Champagne e alibi erano un connubio che solo loro potevano concepire.

Alla fine, l'ospite che stava traendo più giovamento dalla serata era la vicina di Bitonto, temporaneamente sequestrata dalla zia Dora, che le parlava ad alta voce del trullo ricevuto in eredità.

«Si rende conto, signora? Quella zona è diventata edificabile! Chi l'avrebbe mai detto? Il progresso in Puglia.»

«Almeno lo potete anche affittare.»

«Poi mo con le modifiche vedi che viene uno spettacolo.»

Anche se si definiva "veneta d'adozione", quando le prendeva l'entusiasmo alla zia Dora scappava inconsapevolmente la cadenza polignanese.

Ninella, che mesi prima le aveva ceduto la sua parte del trullo, si allontanò velocemente con suo fratello Franco perché era già una serata difficile e non voleva rovinarsela del tutto. Avrebbe fatto meglio a partecipare alla processione come tutti i bravi cristiani e proprio mentre lo pensava Matilde mandò un messaggio a padre Gianni per ricordargli che lo aspettava.

Lui lo ricevette alle spalle del Santo e capì che, più che un invito, era un avvertimento: forse bisognava lasciare un po' di spazio al viceparroco di Polignano, don Raffaele, che avrebbe potuto sostituirlo prima che San Vito arrivasse in piazza dove sarebbe stato issato piano piano, *a bell a bell*, sull'altare alto quindici metri costruito *ad hoc*.

Padre Gianni chiese così a uno dei devoti un passaggio fino alla masseria per una "ragione di fede" confidando nella complicità intima che aveva con il martire. E per la prima volta nella vita abbandonò la processione del Santo per far visita a una famiglia durante una festa di compleanno.

La piccola Gaia intanto aveva dato il via al buffet e tutti si fiondarono sul grande tavolo imbandito alla peruviana: la più veloce fu la zia Dora, ma solo per il gusto di essere la prima a esprimere un giudizio sulle pietanze. Ninella invece si divertiva a osservare le dinamiche di fronte a quel ben di dio, che per lei erano sempre le stesse indipendentemente dalla classe sociale: perché, diceva, davanti al buffet siamo tutti uguali. C'è chi assaggia tutto perché teme che finisca, e la solita ragazza a dieta che ispeziona ogni cosa e alla fine non le va bene niente. La ragazza a dieta era sua figlia Nancy.

Mentre tutti mangiavano e finalmente si rilassavano, c'era una cosa a cui Matilde continuava a pensare: i fuochi d'artificio. Si era rivolta a un fornitore di Conversano a cui aveva dato un'unica direttiva: «devono essere più belli di quelli di San Vito», e così aveva allestito uno spettacolo in due tempi gestito da Pasqualino.

Appena scoprirono la deriva tamarra della serata, alcuni invitati trovarono una scusa e se ne andarono: Nancy si fece venire a prendere da Tony e anche Orlando e Daniela se la diedero letteralmente a gambe.

Ma a queste partenze frettolose fece da contraltare un arrivo assai gradito: padre Gianni. Aveva gli occhi stanchi di chi avrebbe voluto essere ovunque, tranne che alla festa di una bambina. Lo stupore dei presenti nel vederlo fu tale che lui pensò che quella strana follia fosse autorizzata da San Vito, il "santo bambino" – così era soprannominato – che andava a trovare Gaia proprio il giorno del suo compleanno: una sorta di piccolo Natale estivo.

Visti gli impegni del parroco e i paralleli festeggiamenti in paese, con il terrore che anche altri ospiti se ne andassero, Matilde pensò che fosse giunto il momento di cominciare lo spettacolo pirotecnico degno di una famiglia felice.

Nessuno poteva prevedere che la serata sarebbe stata ancora molto, molto lunga.

# 4

Con i fuochi d'artificio Matilde si giocava la reputazione. Non era scontato che venissero a forma di cuore viola, come desiderava sua nipote, e Pasqualino non sembrava così a suo agio a gestire la postazione allestita sul terrazzo. Ma lei aveva adottato una tattica quasi sempre vincente: non badare a spese. Per questo, l'eventualità che i fuochi si potessero vedere da chilometri di distanza, come aveva annunciato il tecnico dopo aver sparato il preventivo astronomico, l'aveva galvanizzata.

Pasqualino stava alla consolle come un deejay e lei lo sorvegliava da lontano, fiera, mentre gli ospiti rimasti continuavano a gustare i *ceviche* di pesce che la zia Dora aveva subito bocciato per colpa del cumino che «rovinava il gusto, peccato».

«Venite tutti sul terrazzo che ci sono i miei fuochi» esclamò d'un tratto Gaia suonando la trombetta, facendo sentire un po' sminuita l'amica Pamela.

La grande famiglia prese così posto sulla balconata e Adoración chiese a Ludmilla di non perdere nessuno di vista, in particolare la "señora", mentre lei sarebbe poi uscita con la torta di Me contro Te che aveva messo nel salottino degli angeli per fare una sorpresa alla bambina.

Le luci si spensero e tutti rivolsero lo sguardo a quello che doveva essere il faro della serata: Pasqualino. E lui, serio come l'ultimo tedoforo, schiacciò il comando.

Dopo pochi istanti si sentì un sibilo e finalmente lo spettacolo ebbe inizio.

Gaia emise un grido, seguito a ruota da Pamela – l'aveva già perdonata – mentre una sorta di ola collettiva accompagnò la prima sessione di lanci.

«Meglio di quelli di San Vito» sentenziò lo zio Modesto, subito ripreso dalla zia Dora che tutto voleva tranne aprire una diatriba con padre Gianni, che si sentiva già in colpa.

Ninella restò in silenzio muovendo solo impercettibilmente gli occhi: trovava i fuochi un po' kitsch oltre che pericolosi, per cui non vedeva l'ora che finissero. Don Mimì invece li amava alla follia, ma per non urtare la sua dolce metà non osò dirlo: così tracannava champagne facendo finta di niente.

I primi spari furono una bella dimostrazione muscolare e vennero salutati da un caloroso applauso apprezzato soprattutto dalle bambine, da Matilde e da Damiano che, come suo padre, ne andava pazzo: gli ricordavano le goliardate e le feste con gli amici che, da quando si era sposato, frequentava meno. Sembravano proprio i fuochi di un matrimonio, con quell'alternanza di fischi e scoppiettii per tenere sempre alta l'attenzione degli invitati: «se gli ospiti si distraggono durante i fuochi, il matrimonio è un flop» diceva Chiara con tono sentenzioso quando vestiva i panni di wedding planner.

Pasqualino si stava finalmente rilassando e osservava fiero quella messa in scena degna di un festeggiamento in grande stile. Gongolava nel vedere i volti di tutti rivolti al cielo e si sentiva un po' il Mago Silvan.

«E ora zitti che c'è il gran finale» si lasciò scappare quando capì che la prima sessione era finita, sperando solo che i cuori sembrassero proprio dei cuori. Perché una brutta figura a Polignano può durare più del grecale.

Schiacciò di nuovo il comando ma non successe nulla. Nessun rumore, nessun segnale.

Provò di nuovo, ma niente: dal Mago Silvan al Mago Forest fu un attimo. Riaccese e spense le luci del terrazzo che secondo lui potevano aver impallato la consolle e propose di aspettare «che si riavvii il sistema», come aveva sentito dire una volta dal tecnico e sognava di poter ripetere prima o poi.

Visto il momento di pausa forzata, alcuni ospiti lasciarono il terrazzo per fare una sosta. Chiara e Damiano rientrarono in salone a prendere qualcosa da bere, Franco e Modesto fecero un salto alla toilette e Ninella si accomodò nella stanza della tv: Mimì provò a seguirla ma lei disse di lasciar perdere. Aveva una strana sensazione, un misto tra disagio e insofferenza, e preferì allontanarsi da tutti.

Ninella era come sempre imprevedibile, mentre per Mimì era molto più facile immaginare come si sarebbe comportata Matilde, che vedeva ridursi la platea e iniziava a perdere la pazienza: "Proprio quando dovevano esserci i cuori" pensava, senza proferir parola. Per fortuna il suo ritratto incorniciato le dava la forza di non perdersi d'animo: il potere salvifico dell'arte.

Padre Gianni, parlando di quel quadro, disse ad alta voce «sembra Santa Maria Goretti», pensando di fare un complimento alla padrona di casa. Ma tutti erano in attesa dei fuochi. La signora Lorita gongolava nell'assistere a questo inceppo – anche gli Scagliusi sono umani – mentre la zia Dora sussurrò: «io quando li vedo penso solo ai poveri animali impauriti».

Pasqualino, che stava sudando sette camicie, dopo essere sceso a controllare i dispositivi e aver riavviato la consolle, riuscì finalmente a resettarla. Incrociò le dita, schiacciò il pulsante e iniziò a gridare «I fuochi! I fuochi!» mentre gli ospiti sparsi per la masseria tornarono di corsa.

I cuori non erano proprio come Matilde e la bambina se li erano immaginati e molti ebbero la convinzione che fossero delle pere. «Che belle pere!» esclamò la signora Lorita con tono entusiasta, e la padrona di casa, per un attimo, si sentì mancare. La rassicurava solo il fatto che non avessero annunciato chiaramente che si trattava di "cuori", per cui a quel punto anche le pere erano bene accette. I fuochi erano comunque sparati molto alti e quindi, se non da Conversano, sarebbero stati visti almeno dalla strada provinciale.

Lo spettacolo fu più lungo del primo e meno memorabile, ma tenne alta l'attenzione di tutti i presenti. Appena si sentirono i tre botti finali, come quelli a conclusione dei fuochi celebrativi per il Santo, iniziò un lungo applauso per la piccola Gaia. Le luci della casa si spensero di colpo e Matilde si voltò indietro alla ricerca di Adoración con la torta e le candeline accese.

Nel buio pesto si sentiva solo un brusio di voci. Il piccolo schermo di un telefonino usato come pila annunciò l'avvicinarsi di una persona, ma senza torta. Era la povera Ludmilla che diceva: «Signora, è saltata la corrente. Deve essere stato il Bimby».

Dora ne approfittò per dire che «il Bimby lo usa solo chi non sa cucinare», ma Ninella le diede una gomitata per farla tacere: «E basta con queste lagne su tutto».

Intanto Pasqualino era rientrato in casa a controllare l'interruttore della luce. In effetti era saltata. La casa s'illuminò di nuovo a giorno e tutti tirarono un sospiro di sollievo: ci mancava solo un altro problema tecnico.

La sorpresa della torta era rovinata, e di questo Matilde era profondamente dispiaciuta, ma in realtà nessuno se l'aspettava e quindi non si trattava poi di un grosso problema. L'assenza improvvisa di Adoración invece non aveva una spiegazione logica. In cucina non si trovava. Matilde la chiamò ripetutamente anche in spagnolo – «*Donde estas?*» – ma lei non rispose. Chiese a Ludmilla di fare un giro per la casa e capire dove fosse finita: «Non puoi sparire proprio al momento della torta» sibilò inferocita.

Uno strano grido interruppe i suoi pensieri. Ludmilla le si avvicinò a passo spedito con il volto pallido e gli occhi sbarrati: «Signora, c'è Adoración per terra nel salottino».

«Oddio, dove ci sono gli angeli?»

«Sì.»

Matilde si precipitò nella stanza rosso pompeiano, mentre Ludmilla, presa dal panico, disse: «Mia collega svenuta! Aiuto! Aiuto!».

Ancora non sapeva che Adoración era morta.

## 5

Adoración era sdraiata a terra vicino allo scrittoio di quel salottino degli angeli che Matilde aveva mostrato a tutti con tanto entusiasmo. Sopra, ancora intatta, la torta di Me contro Te. Quella stanza curata in ogni dettaglio era diventata uno scenario irreale in cui i primi ad apparire fuori luogo erano proprio gli angioletti, disposti come soldatini «in fila per tre con il resto di due», come diceva Pasqualino pensando di essere spiritoso.

Matilde aveva gli occhi sbarrati e non riusciva a capacitarsi dell'accaduto. Per non farsi prendere dal panico, cercò di mantenere la calma e di non guardare Adoración ma di concentrarsi sulla stanza. Accanto al corpo disteso della sua *cocinera* c'era un angioletto che attirò subito la sua attenzione.

«Dev'essere scivolata mentre lo sistemava» disse prendendolo in mano e accorgendosi con orrore che un'ala si era scheggiata. Lo appoggiò sul suo scrittoio con la mano che aveva iniziato a tremare. Don Mimì telefonò disperatamente al 118 mentre Lorita cercava di praticare il massaggio cardiaco al corpo inerme di Adoración.

Nella stanza si avvicendarono tutti gli ospiti, terrorizzati e increduli, ad esclusione delle bambine, portate subito in camera da Ludmilla che cercava di nascondere le lacrime.

Pasqualino girava intorno a quella povera donna distesa sul pavimento continuando a ripetere il suo nome. La zia Dora, dopo essersi fatta tre volte il segno della croce, afferrò l'angioletto per guardare di che marca fosse, ma venne subito redarguita da padre Gianni che lo riappoggiò sulla scrivania invitando tutti a pregare San Vito. Ninella era pallida come un cencio, scuoteva la testa e non riusciva a capire se Adoración fosse morta o solo svenuta, mentre don Mimì si affacciava dalla porta ogni due secondi per vedere se arrivavano i soccorsi.

Per fortuna l'ambulanza giunse in fretta con a bordo il dottor Pellegrini di Polignano, che venne subito accompagnato da Ludmilla nel salottino.

Chiara e Damiano osservarono gli occhi del medico, cercando di intuire cosa stesse pensando. Lui provò a chiamare Adoración, poi le mise una mano sul collo, le sentì il polso e a bassa voce sentenziò: «Purtroppo la signora è deceduta... deve aver avuto un arresto cardiaco... oppure...».

Si fermò e osservò una piccola ferita in testa, un po' nascosta tra i capelli. Guardò lo scrittoio, notò l'angioletto scheggiato appoggiato sopra e disse: «Questa potrebbe non essere una morte accidentale. Forse la signora è stata colpita prima di cadere».

La frase rimbombò in tutta la stanza e gli ospiti si avvicinarono gli uni agli altri per farsi coraggio: Damiano scoppiò in lacrime accanto a Chiara, la zia Dora si strinse allo zio Modesto, Lorita cercò le braccia del prete e Pasqualino provò ad abbracciare Matilde, che sembrava impenetrabile. Ninella aveva fatto un passo indietro da tutti, guardava suo fratello Franco, e Mimì guardava solo lei. Padre Gianni in cuor suo pensava che quella fosse una punizione divina.

Il dottor Pellegrini, a quel punto, disse che c'era solo una persona a cui rivolgersi: il maresciallo Gino Clemente. Matilde ripeté ad alta voce il suo nome nel silenzio generale e il fatto che lo avesse invitato alla festa non bastò a rassicurare nessuno degli ospiti, compresa lei. Il medico lo chiamò mentre era nel mezzo della processione e salutava i passanti come una star, finalmente rilassato dopo il tragitto per mare.

«Maresciallo Clemente, buonasera, sono il dottor Pellegrini di Polignano.»

«Dottore, giusto a lei pensavo. Quei due chili che ho perso non li voglio più prendere, anche se con mia moglie che cucina è difficile... *e capeit?*»

«Sì, poi vediamo... ma mi pare che stia bene di fisico. Senta, la chiamo perché c'è un problema, qua, dalla ex di don Mimì, in una masseria. Un bel problema.»

Matilde alzò la testa di scatto quando si sentì definire «ex».

«Ah, è vero che c'è l'apericena per la nipotina... me l'aveva detto. Ma come si fa a organizzare una cosa del genere quando in paese sta la festa...»

«Maresciallo, la devo fermare perché qua c'è la tata peruviana che purtroppo è deceduta durante il ricevimento della signora Matilde. Ma credo che non sia una morte accidentale.»

Clemente restò di sasso.

«Ma è proprio morta? È sicuro?»

«Purtroppo sì. Ha una piccola ferita in testa... Maresciallo, c'è ancora?»

«Sì, sì, qua sto. Corro a cambiarmi che sono in alta uniforme e arrivo con una pattuglia, anche se oggi con San Vito è un bel problema... Lei mi dia l'indirizzo esatto, faccia uscire le persone dalla stanza, non faccia muovere nessuno, né toccare più niente.»

Tutto poteva pensare, il maresciallo Clemente, tranne che potesse accadere un omicidio a Polignano proprio il giorno della festa del Santo, a pochi mesi dalla sua pensione.

Tornò a casa e trovò sua moglie e la sua amica che ridevano davanti a quel che restava delle melanzane alla parmigiana.

«Amore, è successo un problema a casa di Matilde Scagliusi...»

«Quella dell'apericena?»

«Eh, sì... hanno trovato la tata peruviana a terra senza vita. Mo devo andare subito a capire sto fatto...»

Felicetta aiutò suo marito, visibilmente agitato, a prepararsi in fretta. Vederlo togliersi il pennacchio di cui era tanto orgoglioso le fece stringere il cuore, mentre l'amica non sapeva cosa fare e osservava la scena in silenzio. Prima di uscire di nuovo, anche per rassicurare in qualche modo sua moglie che la situazione era sotto controllo, Clemente diede una forchettata alla parmigiana direttamente dalla teglia, sperando di poterla gustare al ritorno. Se ne andò di corsa inseguito dal cane, che a malapena riuscì a salutare.

Il maresciallo non si era mai occupato di omicidi e si sentiva abbastanza impreparato. Aveva solo una persona di cui si fidava ciecamente: il sottotenente Maiellaro, al comando dell'anticrimine di Bari, il compagno storico che gli aveva fatto scoprire il karaoke. Le amicizie di gioventù, quando si è condiviso tutto, hanno la potenza di restare immutate nel tempo, per cui lo chiamò dalla macchina e gli confessò che non sapeva cosa fare.

«Per prima cosa devi stare calmo perché l'agitazione non è mai amica della soluzione.»

«Giusto.»

«E devi imparare a chiedere aiuto. Se non chiedi non saprai mai niente. Chi ti può aiutare della caserma secondo te?»

«La brigadiera De Razza è la numero uno, ma non ci sopportiamo tanto.»

«Non importa: la devi coinvolgere al più presto. I bravi vanno sempre rispettati, ricordalo. Prenditi l'appuntato e una pattuglia e andate subito in masseria. Occhi aperti, orecchie tese, le impronte digitali, le cose le sai... e quando sei in dubbio, chiedi a me.»

«Ti ringrazio, *uagliò*.»

Quelle poche parole lo rincuorarono. Entrò in ufficio, informò l'appuntato Perrucci – il bellone della caserma –, convocò un altro carabiniere e si avviò con loro verso la masseria.

Quando arrivarono trovarono il cancello spalancato, come se si volesse liberare dal male, e Pasqualino già fuori ad aspettarli sull'attenti.

La parmigiana di Felicetta apparteneva ormai al passato perché il dottor Pellegrini riportò il maresciallo velocemente alla realtà, accompagnandolo nel salottino dove giaceva Adoración: i capelli ancora pettinati, il trucco leggero, sembrava una martire vegliata dagli angioletti della collezione.

Lui le si avvicinò con estrema cautela, osservò con attenzione la ferita ben mimetizzata tra i capelli.

Cercò di stare calmo, o piuttosto di sembrarlo, mentre il suo stomaco era sempre più in subbuglio. Per togliersi da quella situazione, ordinò all'appuntato di prendere le generalità di tutti i presenti e telefonò, come da prassi, al capitano della compagnia di Monopoli.

«Capitano, qui ci sta un guaio. Hanno ammazzato una donna a Polignano, nella nostra giurisdizione...»

«E se ne vuole occupare lei?»

Il tono fu così mortificante che il maresciallo Clemente ebbe uno scatto d'orgoglio.

«Eh, certo che me ne voglio occupare io, è avvenuto nel nostro paese. Se lei è d'accordo avviso subito il procuratore.»

«Va bene, Clemente, ma dobbiamo risolvere subito il caso e non facciamo cazzate, ok?»

Il maresciallo cercò di non farsi prendere dall'agitazione. Doveva avvisare il procuratore, ma non aveva il suo numero. Non gli restò che mettere da parte l'orgoglio e telefonare proprio alla De Razza, quella che tutti chiamavano "la brigadiera" e con cui non aveva troppo feeling ma neanche voglia di litigare: era salentina – quindi ai suoi occhi sempre pronta a discutere – ma notoriamente brava, severa e capace. Oltre a essere la vicecomandante della stazione.

Agata De Razza reagì senza battere ciglio, anzi fu piuttosto sorpresa da quella telefonata. Aveva finito il turno e si trovava in giro con Gianpiero, il suo fidanzato che, dopo anni, si era appena trasferito da Galatina a casa sua. Fornì al maresciallo il numero del procuratore e gli chiese se riteneva utile che lei lo raggiungesse. Lo disse senza esserne del tutto convinta, e lui lo percepì.

«Tu adesso non ti preoccupare e continua a fare il tuo giro... intanto sento che mi dice. Com'è già che si chiama?»

«Dottor Sparno.»

Il maresciallo Clemente chiamò subito il procuratore fresco d'incarico che rispose dopo due tentativi e una ventina di squilli.

«Procuratore, buonasera. Sono il maresciallo Gino Clemente del comando dei carabinieri di Polignano a Mare. La disturbo?»

«No, no, si figuri.»

Di fronte a lui, una moglie troppo abbronzata lo guardava davanti a un piatto di ostriche.

«Bene, perché durante una festa di compleanno in una masseria è stata trovata una governante morta... probabilmente ammazzata.»

«Ma non ci sta la festa a Polignano?»

«Eh, sì.»

«E proprio oggi lo dovevano fare il compleanno?»

«Eh, sì.»

La moglie abbronzatissima del procuratore iniziava a scolorirsi dal nervoso.

«Il capitano ha affidato a lei questo compito?»

«Certamente.»

«Se lui si fida non posso che fidarmi anch'io. Proceda subito con le indagini, maresciallo... Poi ci aggiorniamo che ora sono in una situazione un po' delicata.»

Clemente mise giù con un leggero stato di ansia e un prurito sulla testa che gli fece temere di essersi preso i pidocchi.

«Ma perché proprio a me» iniziò a dire tra sé quando si rese conto di quante persone avrebbe dovuto interrogare per lo strano caso di una tata uccisa prima di mezzanotte. «Sicuro che me l'hanno tirata» diceva, pensando ad alcuni vecchi colleghi bolognesi che erano da sempre il suo capro espiatorio.

Richiamò la brigadiera e, mentre il suo stomaco ricominciava a fare rumore, le disse: «Ho bisogno di te».

## 6

La brigadiera Agata De Razza, tifosa del Lecce e delle pucce, aveva dei capelli ricci con cui litigava sempre ed era prosperosa al punto da distrarre, qualche volta, chi incontrava per strada. In caserma l'avevano soprannominata "la Kamala Harris di Polignano", perché era intransigente su tutto.

Non avrebbe mai immaginato di sentirsi quasi un'estranea nella regione in cui era nata. Le era stato riconosciuto un riavvicinamento da Bolzano – dove era di stanza da anni – perché era entrata in graduatoria e si erano sbloccati dei posti proprio in Puglia. In attesa che si liberasse una mansione a Galatina, il suo paese natale, le avevano proposto Polignano a Mare, che sulla carta le sembrava incantevole. Nella realtà si era ritrovata in un ambiente piuttosto diffidente, e dire che aveva vissuto in posti molto diversi: scuola di sottufficiali a Vicenza, un paio d'anni a Bressanone, e poi nel nucleo investigativo sezione omicidi di Bolzano. Era stato più facile conoscere altoatesini a "Bozen" – come la chiamava lei – che polignanesi a Polignano. Poi, da quando era arrivato il maresciallo Clemente, era andata ancora peggio: lui si vantava di risultati trascurabili, pensava di essere la reincarnazione di Domenico Modugno e parlava solo del suo paese. Per il maresciallo Clemente la Puglia finiva all'aeroporto di Brindisi da una parte e a quello di Bari-Palese dall'altra.

Agata l'aveva capito, ma era pur sempre il suo comandante e ora si trovava in una situazione di emergenza. Aveva ascoltato cosa le aveva detto al telefono e in un attimo era tornata la donna d'azione che il Südtirol aveva apprezzato come una mela della Val Venosta, mentre a Polignano sembrava una cozza che faticava ad aprirsi. Per questo Gianpiero aveva deciso dopo anni di andare a vivere con lei e aveva scelto le celebrazioni di San Vito per rendere solenne quell'impegno. Agata fu costretta a salutarlo nel bel mezzo della festa dicendogli «l'arma mi chiama» e lasciandolo piuttosto perplesso.

Appena arrivò alla masseria, capì che la situazione era meno semplice di quanto potesse apparire.

Nel grande salone, seduti in religioso silenzio, c'erano tutti gli invitati. L'appuntato Perrucci aveva già preso le loro generalità in un'atmosfera quasi irreale, perché non avevano mai pensato che potesse succedere una cosa del genere. Agata salutò il maresciallo con un cenno militaresco, si fece spiegare di nuovo cos'era successo ed evitò di entrare subito nella stanza del delitto. Lesse l'elenco dei nomi cercando di associarli alle facce, che invece Clemente conosceva perfettamente: erano pur sempre i suoi compaesani.

– Matilde Galluzzi, ex signora Scagliusi, madre di Damiano e Orlando;
– Pasqualino Frattarulo, nuovo compagno di Matilde;
– Domenico Scagliusi, detto Mimì, ex marito di Matilde e nuovo fidanzato di Ninella;
– Damiano Scagliusi, figlio di Mimì e Matilde e marito di Chiara;
– Ninella Torres, vedova Casarano, madre di Chiara e Nancy e fidanzata di Mimì;
– Franco Torres, fratello di Ninella;
– Chiara Casarano, figlia di Ninella e moglie di Damiano;
– Modesto Casarano, cognato di Ninella e marito di Dora;
– Dora Centrone, cognata di Ninella e moglie di Modesto;
– Lorita Loiacono, la vicina di Chiara e Damiano originaria di Bitonto;
– Ludmilla Parapova, domestica bielorussa di Mimì Scagliusi;
– Padre Gianni Lilla, parroco di Polignano.

Nel salotto nessuno fiatava, ad eccezione del parroco che aveva iniziato a mostrare un certo nervosismo. La statua di San Vito era sul punto di arrivare in piazza dell'Orologio per essere issata sul grande altare e lui non poteva proprio mancare, ma decise di attendere prima di parlare. In fondo era accaduto qualcosa di terribile e inimmaginabile e lui non voleva crederci.

Agata si rese conto che Clemente, per quanto cercasse di dissimularlo, stava navigando a vista e provò a prendere in mano la situazione.

«Maresciallo, hai già chiamato il medico legale?»

«Mo lo sta chiamando l'appuntato, è vero?» disse facendo un cenno a Perrucci che annuì mentendo, ma abituato com'era a raccontare bugie alle donne a cui rubava il cuore sembrò credibile. Lei sapeva quanta poca esperienza avessero quei due uomini in fatti del genere, per cui cercò di accelerare le operazioni senza prevaricare.

«Clemente, se sei d'accordo chiamerei immediatamente la Scientifica di Bari per ispezionare la stanza... intanto posso entrare a dare un'occhiata? Ovviamente con guanti e calzari che mi sono portata, sai?»

Il maresciallo si arrese davanti a quell'accento salentino che gli diede meno fastidio del solito. Da quando aveva visto la pensione profilarsi all'orizzonte, la sua massima preoccupazione erano le multe del fine settimana, quando i baresi inondavano Polignano con il loro entusiasmo di città. E questa era tutta un'altra storia.

Ricordandosi dei consigli dell'amico Maiellaro, chiese alla brigadiera di far prendere a tutti le impronte digitali, e lei annuì con quell'aria di chi pensa "dove sono capitata?".

In casa era sceso il gelo: le impronte digitali erano una sconfitta collettiva perché il colpevole poteva essere solo uno di loro. L'unico che continuava a muoversi era padre Gianni, che sembrava posseduto da ogni tipo di tic.

Dopo l'ennesimo battito di ciglia, si avvicinò al maresciallo e gli chiese se poteva parlargli, così si allontanarono in cucina.

«Maresciallo, io capisco che la situazione è tragica, ma oggi è San

Vito. Per fare un piacere a questa famiglia molto devota sono passato a salutare... ma io non lo posso lasciare nelle mani del viceparroco, devo tornare da lui. Il Santo non può salire senza la mia benedizione... i polignanesi se l'aspettano. *Ce l'ama fé?*»

«Ma quindi lei ora vorrebbe tornare alla processione?»

«Io devo tornare. Non posso fare sta figura davanti al paese... ne va della mia reputazione.»

«Padre, ho capito, ma sa... è morta una persona.»

«Di sicuro non sono stato io. Sono un prete!»

«Lo so, padre, ma per la legge siamo tutti uguali. Cercheremo di sbrigarci quanto prima così può andare... ma al momento la prego di sedersi con gli altri e attendere.»

Lui obbedì mestamente, si accomodò sbuffando e Dora fu subito pronta a passargli il suo ventaglio. "Che lecchina" pensò la signora Lorita.

Forse per stemperare l'attesa, gli ospiti avevano ripreso a parlare, anche se animati da sentimenti contrastanti.

La zia Dora iniziò a tessere le lodi di Adoración come se la conoscesse da sempre e Modesto le diede un colpetto sulla gamba perché gli sembrava inopportuno. Ninella aveva deciso di chiudere i suoi occhi belli per non vedere più niente, mentre Mimì non sapeva come comportarsi. Franco e Pasqualino avevano provato a dire qualcosa sul campionato di calcio, apparendo subito fuori luogo, mentre Chiara e Damiano si accarezzavano come non facevano da tempo. La più loquace era la signora Lorita, forse perché si sentiva un'estranea, e ribadiva che lei questa Adoración non la conosceva proprio e tutti la guardarono come se mentisse: che bisogno aveva di ripeterlo? Fu padre Gianni a interrompere quei discorsi invitando i presenti a recitare l'*Eterno riposo*.

Il maresciallo Clemente non sapeva se fare domande o pregare, e allora si alzò e fece capolino nel salottino degli angeli dove la brigadiera osservava ogni cosa e faceva foto al cadavere con il suo cellulare. La guardò con un senso di inadeguatezza unito a gratitudine, ma gli venne un'idea.

«Per far acquisire le immagini delle telecamere esterne ci pensi tu?»

Agata annuì sorpresa, chiedendosi come mai non ci avesse già pensato. Lui incaricò subito l'appuntato di darsi da fare per vedere se spuntavano nuovi elementi.

Di lì a poco arrivarono gli uomini della Scientifica di Bari vestiti con quelle tute da astronauti, e Pasqualino pensò di essere a una puntata di "Chi l'ha visto?". Matilde mandò la povera Ludmilla a offrire ai «dottori» un caffè, che però rifiutarono, mentre Lorita, dopo aver chiesto il permesso al maresciallo, andò nella cameretta dove sua figlia e Gaia continuavano a guardare la tv come se nulla fosse. In realtà avevano capito che qualcosa non andava, ma non volevano sapere la verità.

Arrivò anche il medico legale, che dopo aver osservato attentamente il corpo e la stanza fece portare il cadavere di Adoración all'obitorio di Medicina legale per procedere all'autopsia.

Nessuno poté più vedere la vittima, e quello fu un momento triste per il maresciallo, che non riusciva mai a separare del tutto la sua vita privata da quella professionale: "È venuta dal Perù e proprio a Polignano doveva morire" pensò tra sé, mentre Agata De Razza continuava a camminare nel corridoio come se provasse a immaginare un film che faceva fatica a capire. Una festa di compleanno per una bambina, dove gli invitati si conoscono e sono quasi tutti adulti e muore la tata colpita da un angioletto: a Polignano erano strani anche con i delitti. Ma non disse nulla e si avvicinò al maresciallo che sembrava sempre più smarrito.

«Clemente, forse sarebbe meglio iniziare a verbalizzare i presenti, che dici? Ho visto che la masseria è molto grande, potremmo usare la cucina e la stanza della televisione.»

«Te lo stavo per dire io. Io verbalizzo i maschi nella stanza tv e tu senti le femmine in cucina, che c'è la penisola, che ne pensi?»

Alla brigadiera sembrò una scelta così antiquata, separare uomini e donne, ma non obiettò. In fondo quella era "la sua gente", e lì non erano aperti come in Salento: «il Barese è il Medioevo della Puglia» le diceva Gianpiero per rimandare il trasferimento da lei.

Ne ebbe la prova quando Clemente le disse che avrebbe sentito subito padre Gianni perché «ha interrotto la processione e pare brutto che la salti proprio quest'anno».

Agata si sforzò di trattenersi: da quando in qua un prete si allontana dalla festa patronale per andare al compleanno di una bambina? Comunque disse solo «sei tu il comandante», che lo riempì di orgoglio ma anche di una responsabilità che faceva fatica a prendere.

Ormai iniziava a essere tardi, gli uomini della Scientifica erano al lavoro e gli ospiti erano di nuovo sprofondati in un silenzio preoccupato. La signora Lorita aveva chiesto se poteva andare a casa subito «perché io a malapena la conoscevo» disse, come se fosse una prova sufficiente.

«Signora, a noi questo non interessa. Sedetevi e attendete il vostro turno» rispose la Kamala Harris delle Puglie con tono perentorio, e tutti annuirono. Nessuno sembrava avere timore. Erano solo turbati, un po' stanchi e qualcuno ancora affamato. A vegliarli, il ritratto di Matilde che scrutava tutti con gli occhi della *Gioconda*, facendo sentire ognuno colpevole.

Prima di iniziare gli interrogatori, il maresciallo Clemente chiese a Matilde di poter andare alla toilette. Il bagno rock aveva qualcosa di bizzarro perché, oltre al copriwater a forma di chitarra, c'era anche una statuetta di Elvis Presley che, se la toccavi, suonava *Can't Help Falling in Love*. Quel trionfo del kitsch si trovava proprio tra il salottino degli angeli dove era stata trovata Adoración e la camera da letto di Matilde e Pasqualino.

Il maresciallo si sciacquò la faccia, si guardò allo specchio e socchiuse per un attimo gli occhi: quanto gli sarebbe piaciuto essere, per un istante, Elvis the Pelvis.

La verità è che i cadaveri lo impressionavano: l'unico che aveva visto in una bara era stato quello di sua nonna, da ragazzo, e aveva vomitato per tre giorni. Si toccò la pancia, il suo porto sicuro, che gli ricordava che non si era mai fatto mancare niente, e questo lo faceva stare bene. Prima di uscire dal bagno aprì la finestra che si affacciava sulla balconata che arrivava fino al terrazzo e notò che sia il salottino degli angeli che la camera da letto avevano accesso all'esterno.

Nel salone, intanto, l'unico che provava a parlare era lo zio Modesto, ma non riusciva ad andare al di là di: «se cala il vento si sente subito caldo». Quando il maresciallo vide l'espressione affranta di padre Gianni, si rese conto che se non lo avesse ascoltato subito avrebbe avuto una crisi isterica.

Il parroco, ormai rassegnato, si sforzò di mostrare un sorriso vagamente ecumenico, mentre Clemente sistemava il computer portatile, riuscendo anche a collegare la piccola stampante che usava quasi solo per le carte d'imbarco della Ryanair.

Per mettere a proprio agio il suo primo teste, iniziò chiedendogli perché a Polignano le persone fossero più devote a Sant'Antonio che a San Vito, facendo irritare padre Gianni.

«Ma che discorso è, maresciallo? I santi sono tutti uguali e i polignanesi li amano entrambi... a ciascuno il suo.»

«Lei però secondo me preferisce San Vito.»

«Be', ovvio.»

«Allora vede che i santi non sono tutti uguali?»

«Comunque, maresciallo, vediamo di sbrigarci in fretta, perché vorrei provare ad assistere all'ascesa del Santo in piazza.»

«Stia tranquillo, padre, che il Santo è dalla sua. Mi hanno appena chiamato per avvertirmi che c'è un problema tecnico... la statua è rimasta bloccata a terra, per cui adesso deve arrivare un manutentore per farla salire sull'altare e ci vorrà del tempo.»

«Ma questa è una notizia fantastica!»

Il parroco si rese conto della frase inappropriata e si fece subito serio, mentre il maresciallo lasciò correre.

«Padre, io cercherò di fare in fretta, ma lei deve avere un po' di pazienza. Quindi adesso si rilassi e mi racconti un po' quando ha deciso di farsi prete... e com'è finito qui a Polignano.»

«Ma dall'inizio devo cominciare? La genesi mia devo dire, *meh*...»

«La pregherei di rispondere.»

Il maresciallo stava iniziando a indisporsi, e padre Gianni tornò subito al suo posto.

«Ma non ho problemi, si figuri, adesso le spiego. Io vengo da Ruvo di Puglia... e prima di avere la vocazione diciamo che mi sono pure divertito con le signorine... ero un peccatore.»

Clemente finalmente si rilassò: non poteva credere di ascoltare le confessioni di un parroco.

«Nel senso che ha avuto anche rapporti sessuali prima della vocazione?»

«Hai voglia!»

Hai capito il prete? Padre Gianni aveva probabilmente avuto più esperienze di lui che la terza ragazza della sua vita alla fine se l'era sposata.

«E a che età è entrato in seminario e ha cambiato vita?»

«Più o meno a vent'anni... sono stati anni di sacrifici, ma il Signore mi è sempre stato accanto, e ora da qualche anno la diocesi mi ha mandato in questo paese stupendo... che non è nemmeno lontano dalla mia Ruvo.»

«Però è più bella Polignano.»

Per quanto si sforzasse, quando si parlava del suo paese il maresciallo diceva sempre qualche parola in più.

«È bella, ma Ruvo non scherza.»

Si erano trovati. Per fortuna, Clemente si ricordò perché era lì.

«Allora, padre... come stanno i fatti?»

«Maresciallo, sono sconvolto. Adoración era una brava cristiana, veniva alla messa quando poteva... davvero non so come possa essere successa una cosa del genere.»

«Quindi lei la conosceva... bene?»

«La conoscevo come tutti i preti conoscono i loro fedeli... ma con il segreto confessionale non posso dirle molto.»

«Ma lei la vedeva anche fuori?»

«A questo non posso rispondere.»

«In che senso? Le sto solo chiedendo se la frequentava anche fuori dalla chiesa.»

«Io non ho avuto rapporti con questa ragazza, se è questo che vuole sapere.»

«Allora, chiariamo le cose: lei mi deve rispondere quello che sa e mi deve dire perché incontrava Adoración anche fuori dalla chiesa.»

«Diciamo che a volte per arrotondare dava una mano anche nella casa dove sto.»

«Bene. Quindi oltre a fare la tata della bambina di Chiara e Damiano e la governante di Matilde Scagliusi... veniva anche da lei?»

«A volte è capitato.»

«Lei possiede anche altre case?»

«Be', ho quella di Ruvo di Puglia, che però è insieme a mio fratello... e poi ho ereditato un appartamento a Monopoli da una signora di Polignano... Menina, non so se la ricorda.»

«La zia Menina? Quella che ha lasciato la casa al prete e il trullo ai parenti?»

«Esatto... il prete sono io.»

«E i parenti?»

«I parenti sono qui stasera: Ninella, Dora e Modesto... ma poi Ninella ha ceduto la sua quota e adesso il trullo è solo loro.»

«Ah, già che i trulli non si dividono. Be', si vede che questa zia era anche molto devota...»

«Sì, assai.»

«E ora in questa casa di Monopoli... chi ci abita?»

«Per ora nessuno, la devo ancora sistemare e poi vedo... forse l'affitta mio nipote, non lo so ancora.»

«Ma la casa è vuota?»

«In realtà ci sono ancora un po' di cose della signora Menina.»

«E Adoración come l'ha conosciuta?»

«In chiesa. Lei veniva ogni tanto, ma sempre fuori orario... era una ragazza un po' inquieta, diciamo così, accendeva ceri, come se avesse qualcosa che le dava tormento.»

«Ma aveva amiche?»

«Ultimamente si frequentava con la signora Ludmilla, la badante di don Mimì.»

«Ma non è la sua badante, padre!»

«Lo so, ma così la chiamano in paese perché lui ha sessant'anni.»

«E quindi?»

«Niente, dicevo per dire... ormai le chiamiamo tutte badanti, non è che vuole essere un'offesa, che dio mi perdoni...»

«E che lei sappia, Adoración aveva litigato con qualcuno recentemente?»

«Non credo... forse aveva avuto qualche discussione con don Mimì perché voleva portare Ludmilla a lavorare in masseria... e infatti stasera è qui, ma sa... io faccio il prete e non voglio entrare in questo tipo di dinamiche.»

«Quindi secondo lei tra Matilde e Mimì può esserci stata un po' di tensione per questa cameriera.»

«Tra quei due la tensione c'è sempre. Erano sposati, ma lui amava la consuocera e alla fine è andata così.»

«Certo per una come Ninella c'è da perdere la testa.»

«Eh, sì, maresciallo. È la più bella donna di Polignano.»

Clemente si perse un attimo con lo sguardo ripensando a lei. Ogni volta che la incontrava gli faceva venire strani pensieri. Di colpo, si rese conto che quello che stava scrivendo non aveva molto senso.

«Lei è sempre stato fuori mentre venivano sparati i fuochi d'artificio?»

Padre Gianni quasi si offese a sentirsi rivolgere quella domanda, e s'irrigidì.

«Ovvio. Erano dei bellissimi fuochi, molto creativi... anche se più tardi dovrebbero esserci anche i nostri in paese. Se lei mi congeda.»

«Un attimo, un attimo. Mi può confermare se ci sono state due sessioni di fuochi?»

«Esatto. La seconda volta i fuochi non partivano e così ci siamo un po' distratti.»

«Lei quindi durante l'intervallo cos'ha fatto?»

Il parroco ebbe un momento di esitazione.

«In realtà durante l'intervallo mi sono spostato perché ho ricevuto una chiamata.»

«E dove è andato?»

«Sulla balconata laterale... perché quando sono al telefono cammino sempre.»

«Ma da quale dei due lati?»

«Quello della sala della televisione.»

«E quando è passato davanti ha visto se c'era qualcuno?»

«Credo di aver visto Ninella seduta.»

«Sola?»

«Sì.»

«Chissà che bella.»

«Maresciallo, ma lei è un uomo sposato.»

Lui s'irrigidì.

«Certo, felicemente. Era solo un motivo d'orgoglio per il nostro paese... E quando è tornato in terrazza?»

«Appena sono ripresi i fuochi sono corso subito, non potevo perdermeli. Anche se le pere non sono venute proprio bene.»

«Mai visti i fuochi a forma di frutta! Non bisognerebbe mai fare forme strane con i fuochi. È un rischio... Posso chiederle con chi era al telefono a quell'ora?»

Il parroco ebbe un'altra esitazione.

«Su, padre, risponda.»

«Mi aveva chiamato don Raffaele.»

«E come mai?»

«Voleva sapere cosa dire alle persone che iniziavano a chiedere dove fossi finito.»

«E lei cos'ha risposto?»

«Di spargere la voce che ero a fare visita a una persona malata.»

«Quindi ha mentito.»

«Certamente. Ma almeno per il momento ho salvato la faccia... ma se ora non mi presento, per me è la fine.»

Il maresciallo digitava lentamente, e osservava padre Gianni davanti a lui diventare sempre più inquieto. Gli era persino tornato il tic agli occhi.

«Padre, tutto ok?»

«Sì, sì, tutto a posto. Solo che vorrei proprio andare.»

La conversazione venne interrotta da uno squillo del telefono di padre Gianni. Era di nuovo don Raffaele. Gli riferì che il Santo era stato sbloccato e che, a questo punto, sarebbe stato issato senza di lui: «Voi siete pazzi! Di' ancora due preghiere e perdi tempo... dieci minuti e arrivo».

Il maresciallo non ebbe scampo: gli fece firmare il verbale alle 23.40 e lo lasciò libero, per il momento, di tornare alla processione.

## 8

La brigadiera scelse di sentire per prima Ninella Torres, vedova Casarano, come lesse dal documento che il carabiniere le aveva appena portato.

Per quanto il suo viso raccontasse solo vita e bellezza, gli occhi erano quasi sempre socchiusi, mostrando un atteggiamento decisamente respingente. Ninella si toccava nervosa i capelli che non riusciva a trattenere e li arrotolava sulle dita come una studentessa durante l'interrogazione.

Agata continuava a guardarla con un pizzico di ammirazione, ma in cambio sembrava ricevere solo freddezza. Quella donna non mostrava alcun timore reverenziale nei suoi confronti, e questo la destabilizzava.

Le chiese di accomodarsi in cucina dall'altro lato della «penisola iberica», aprì il suo iPad collegato a una mini stampante e iniziò a scrivere alla velocità della luce: aveva fatto un corso appena arrivata a Bressanone e ora, più che una brigadiera dei carabinieri, sembrava la segretaria delle Nazioni Unite.

«Ninella Torres vedova Casarano... giusto?»

«Sì.»

«È da molto che è vedova?»

«Troppo. Me l'ero scordato.»

Agata non mostrò cenni di sorpresa: quella donna sembrava un gatto selvatico e non poteva indisporla.

«Signora, vuole che le faccia portare un bicchiere d'acqua?»

«No, per carità. Qui si segnano tutto ciò che faccio per criticare.»

«Le ricordo che questa conversazione verrà mantenuta segreta e deve rimanere tale anche quando uscirà di qui per non inquinare le indagini. Nel caso verrebbe considerato reato penale...»

«Come nei film, ho capito. Ma io non ho niente da nascondere: sono venuta qui alla festa di mia nipote controvoglia... ho deciso di portare mio fratello Franco che nessuno voleva e mi sono pure scordata di passare a prendere l'altra mia figlia. E ora mi ritrovo in questa situazione assurda e Adoración non c'è più.»

«Signora... siamo qui proprio per capire come sono andate le cose, ma prima mi permetta di chiederle ancora qualcosa di lei... che scuole ha fatto?»

«Ma cos'è, un'intervista?»

«No, signora, è un modo che ci serve per conoscerla e tutto ciò che dirà sarà coperto dal segreto investigativo.»

Ninella sembrò tranquillizzarsi. Non sapeva che era una tecnica dei carabinieri: partire da cose su cui non serve mentire aiuta a predisporre la mente a dire la verità.

«Ho fatto le scuole magistrali... alla sera però. Avevo la terza media e volevo un diploma, che nella vita serve anche se fai la sarta.»

«Quindi lei fa ancora la sarta?»

«Sì, soprattutto abiti da cerimonia... sa che qui a Polignano c'è sempre un'occasione per qualche festa o semplicemente per mostrarsi davanti alla cognata che detesti. Per fortuna, aggiungo, vogliono sempre esagerare.»

La brigadiera pensò che in Salento la situazione era simile ma riuscì a trattenersi.

«Ma mi dica del suo matrimonio...»

Ninella non avrebbe mai pensato di doverne parlare, ma quella donna la osservava senza mai abbassare lo sguardo, e aveva capito che era un osso duro.

«Il mio non è stato un matrimonio veramente felice perché non ero così innamorata di mio marito, il suo amore valeva per tutti e due. Non so se l'abbia mai capito, ma spero di no... Gli ho dato due figlie stupende, e ci ha lasciato troppo presto.»

Agata scriveva cercando di sintetizzare perché Ninella non perdesse il filo.

«E ora è ancora sola?»

Per un attimo le sembrò di essere dallo psicologo.

«No... ho ritrovato l'amore della mia vita.»

«E stasera è qui?»

«Sì, è Mimì Scagliusi.»

A Ninella si incrinò la voce. Tutto ciò che in quel momento avrebbe voluto era abbracciarlo e piangere. La brigadiera se ne accorse ma finse di pensare ad altro. In realtà stava cercando di fare mente locale sui legami tra i presenti che aveva già memorizzato. Ninella le lesse nel pensiero e la precedette.

«Mimì è l'ex marito della padrona di casa, Matilde...»

«... che quindi è la madre di suo genero Damiano.»

«Esatto. Eravamo consuoceri, e ora stiamo insieme. Noi dovevamo sposarci tanti anni fa e poi il destino ha voluto che si sposassero i nostri figli...»

«Cosa intende per destino?»

«Mio fratello Franco, che ho invitato qui stasera quasi per fare un dispetto, all'epoca faceva il contrabbandiere di sigarette, ma era un pesce piccolo... un fesso. Quando lo arrestarono, la famiglia di Mimì gli chiese di lasciarmi, e lui lo fece.»

Per un attimo, Agata si dimenticò che stava facendo un verbale e si lasciò coinvolgere dal racconto.

«E poi?»

«E poi... e poi si sono sposati i nostri figli che non sapevano bene cosa c'era stato tra di noi. Alle loro nozze ci hanno fatto ballare insieme... doveva vedere che scena... a me sembrava di sognare e credo anche a lui: lì abbiamo capito che l'amore non si era mai spento. Abbiamo provato a non pensarci, siamo tornati alle nostre vite, ma qualcosa ci attraeva sempre. C'è voluto ancora del tempo prima che ci mettessimo insieme. Finché a un certo punto sua moglie

Matilde l'ha mollato per mettersi con Pasqualino, il loro tuttofare, e lui è tornato da me. Ma forse sarebbe tornato lo stesso. Come vede, a volte la vita ha un senso, anche se oggi di nuovo sembra averlo perso. Lei è sposata?»

La brigadiera venne colta di sorpresa dalla domanda.

«No, solo fidanzata. Che tipo era Adoración?»

Questa volta la domanda spiazzò Ninella, che finalmente spalancò i suoi occhi e la guardò.

«È stata una brava baby-sitter, anche se da qualche tempo faceva più la governante di Matilde... se si può dire così. È lei che l'ha scelta. All'inizio le piaceva l'idea che la bambina imparasse anche un'altra lingua, poi evidentemente in casa le faceva più comodo che le preparasse da mangiare e le sistemasse le cose.»

«Com'era come baby-sitter?»

«Affidabile, anche se esagerava con lo spagnolo. Va bene insegnarle un'altra lingua, ma non accetto che la mia nipotina mi chiami *abuela* e non nonna. Giusto?»

Agata non si trattenne.

«È giusto! Quindi la infastidiva...»

«Diciamo che a volte sembrava lo facesse apposta per non farsi capire da noi, ma era solo una sensazione.»

«Non ha mai frequentato Adoración al di fuori del lavoro?»

«No, perché io amo stare da sola. Sono sempre stata da sola e mi sono bastata... poi certo, l'amore cambia tutto. Ma di amiche ne ho sempre avute poche perché, di fatto, ho un carattere di merda.»

Agata scoppiò a ridere.

«Su, non dica così... Quindi non l'ha mai incontrata al di fuori del lavoro, per strada...»

«È capitato perché a Polignano ci si incontra tutti, ma ci salutavamo e basta.»

«L'ha mai vista in posti particolari che oggi le vengono in mente?»

«No.»

«Cosa sapeva di lei?»

«Poco. Aveva affittato casa con Ludmilla, che faceva le pulizie da Mimì e poi ce la ritroviamo anche in questa masseria con il bagno di Elvis Presley. Diciamo che se volevano mettere zizzania tra famiglie erano sulla strada giusta.»

«Mi spieghi meglio.»

«Intendo dire: se Adoración era a servizio da Matilde e Ludmilla dal suo ex marito, forse era meglio che non lavorassero insieme, visto che tra i due c'è qualche tensione. Magari le donne parlano, raccontano... io avrei evitato. E pare che sia stata Adoración a volerla. Che poi Ludmilla l'ha trovata mio fratello Franco, che ha proprio un'agenzia di badanti, ma non l'hanno nemmeno consultato.»

«Chi gliel'ha detto?»

«Mio fratello quando l'ha vista lavorare qua era abbastanza incazzato, ma diciamo che non poteva mettersi a fare polemiche dato che l'avevo invitato io da Matilde.»

«E stasera ha notato qualcosa di strano in Adoración?»

«Sembrava più agitata del normale.»

«Perché dice questo?»

«Lei di solito è più amichevole con me, ma forse semplicemente era preoccupata per l'apericena.»

La brigadiera piano piano arrivò a focalizzare l'attenzione su ciò che più le interessava.

«Lei era in terrazzo durante i fuochi d'artificio?»

«Sì.»

«È stata lì tutto il tempo?»

Ninella non si aspettava quella domanda.

«In realtà a un certo momento me ne sono andata nella stanza della tv.»

«E perché?»

«Non mi piacciono i fuochi d'artificio. Li trovo così volgari... e allora dopo aver visto la prima batteria di spari, dato che la seconda non partiva, me ne sono andata via. Mi sono persa le pere.»

«Cioè?»

«Al secondo giro hanno sparato i fuochi a forma di pera. Mi dica lei se è una cosa normale.»

Agata fu sul punto di scoppiare a ridere, ma si contenne.

«E Mimì non l'ha riaccompagnata dentro?»

«No. Mi conosce e sa che quando sono così me ne devo stare sola.»

«Qualcuno l'ha vista mentre era in salotto?»

«No, ma a un certo punto è passato padre Gianni sul balcone. Era al telefono.»

«Lui l'ha vista?»

«Non credo.»

«Mi dica esattamente cos'ha fatto.»

«Parlava al cellulare.»

«No, intendevo cos'ha fatto lei.»

«Oddio, cos'ho fatto? E che ne so? Sarò stata seduta a chiedermi cosa ci facessi ancora lì. Cosa fa lei quando non fa niente?»

«Niente.»

«Ecco, appunto, lo scriva.»

Ninella si rese conto che stava diventando aggressiva e cercò di raccontare cosa ricordava.

«Sentivo le voci da fuori... ognuno diceva la sua a Pasqualino su come riattivare questi fuochi che poi sono finalmente partiti con le famose pere, anche se io sono rimasta seduta. Ma quando sono finiti è saltata la luce in casa.»

«Per quanto tempo siete rimasti al buio?»

«Non ne ho idea.»

«Un quarto d'ora, un minuto...»

«Il tempo di una canzone.»

«E poi cos'ha fatto?»

«Poi ho raggiunto le persone in terrazzo e ho sentito che Matilde diceva a Ludmilla di cercare Adoración. E ora eccoci qui.»

«C'è qualcuno dei presenti che le è sembrato strano?»

Ninella non sapeva cosa pensare, per cui disse solo: «Erano tutti normali».

Appena firmò il verbale, da cui avrebbe cancellato volentieri molte frasi, le tornò in mente quando si era sposata. Aveva un po' tremato a scrivere "Ninella Torres".

## 9

Dopo padre Gianni, il maresciallo Clemente decise di sentire don Mimì Scagliusi, cercando di aggiungere ai suoi modi un pizzico di galanteria che secondo lui poteva essere utile per le indagini.

Don Mimì era stanco ma continuava ad apparire impeccabile, dentro la sua giacca di lino che non aveva mai tolto. Il fatto che lo interrogasse un compaesano rendeva la situazione meno straniante, anche se si accarezzava continuamente i baffi: mai avrebbe pensato nella vita di essere interrogato per la morte di qualcuno.

«Ma veramente, maresciallo, Adoración è stata ammazzata? Non è che è caduta e ha sbattuto la testa?»

Il maresciallo cercò di non spazientirsi, fece un profondo sospiro e iniziò a stendere il verbale mettendo il re delle patate un po' in soggezione.

«Don Mimì, siamo qui per interrogarla, quindi le domande gliele devo fare io a lei, non le può fare lei a me, capisce?»

Don Mimì tornò subito al suo posto e, anzi, mostrò una leggera paura negli occhi.

«Mi scusi, maresciallo, ma sa... noi non siamo abituati a queste cose.»

«E nemmeno io ci sono abituato! Proprio mo doveva capitare... che stavamo facendo festa... su, procediamo.»

«Ma devo dire "giuro di dire tutta la verità nient'altro che la verità"?»

«Ma va', mica è un processo. Basta che stia tranquillo e mi dica un po' di lei... gli studi che ha fatto, il primo lavoro, il primo amore... senza correre troppo che devo pure scrivere.»

Mimì si trovò per la prima volta in vita sua a raccontarsi come nei programmi televisivi. Non era abituato, ma davanti alla legge doveva riuscirci.

«Mi chiamo Scagliusi Domenico, ma per tutti sono Mimì e alcuni per compiacermi mi chiamano don Mimì... che non ho capito se lo fanno per rispetto o per dirmi che mi sto facendo vecchio.»

«Don Mimì... non mi pare adesso un problema. Che studi ha fatto?»

«Ho studiato ragioneria, mio padre desiderava che imparassi i numeri: se hai la testa e sai contare, lontano puoi andare. E dopo il diploma voleva che mi occupassi della nostra azienda agricola... le patate. Diceva che dovevo diventare il numero uno di Polignano... e alla fine ce l'ho fatta. Ma a che prezzo?»

«Be', non siamo qui per fare questo tipo di bilancio, solo per cercare la verità. Ma lei non era sposato con Matilde? Così avevo capito.»

Mimì si rese conto che la sua vita sentimentale era incredibilmente ingarbugliata.

«Sì, sono stato sposato per una vita con Matilde. Ma io ho amato solo Ninella... da sempre.»

«Ninella la sarta che sta qua?»

Il maresciallo sapeva benissimo di chi stava parlando, ma data la sua fascinazione per quella donna preferiva che le parole mettessero un po' di distanza.

«Sì, anche se dopo la processione per mare non siamo venuti qui insieme.»

«E come mai?»

«Ninella è così, non le devi chiedere troppo, la devi seguire. Io ci ho messo una vita a capirla e lei mi ha sempre aspettato. Pure quando si è sposata un altro perché io non la volevo più per dar retta alla mia famiglia... perché avevano arrestato suo fratello. E anche se dopo tanti anni ci siamo ritrovati, abbiamo perso il tempo migliore. Avremmo potuto avere una famiglia solo nostra, senza questo pastrocchio in cui si fa fatica a capire qual è la parentela tra di noi e a Polignano giustamente ci ridono dietro. Ma ci sono amori che sono peggio dei thriller: se non li risolvi, a morire sei tu. E io senza Ninella mi sarei spento.»

Al maresciallo Clemente stavano per venire gli occhi lucidi. Quella storia la conosceva solo dalle voci di chi non l'aveva vissuta e adesso aveva tutto un altro sapore. Si dimenticò per un attimo la ragione per cui era lì e continuò a chiedere cose che non erano poi così utili per le indagini, ma non riusciva a farne a meno.

«Però siete stati fortunati e coraggiosi a ricominciare insieme.»

«Sì, anche se a sessant'anni qualcosa te lo sei perso. Più di qualcosa... ma l'alternativa era lasciare tutto com'era e continuare a essere infelici. Almeno ci abbiamo provato.»

Clemente rilesse le ultime righe e si rese conto che si stava allontanando dal seminato. Così cercò di ridare un po' di logica a quella conversazione.

«Mi pare di capire che lei e Ninella siate stati accettati da Matilde.»

«Solo in apparenza. Ninella era un po' a disagio a venire qui a casa della mia ex moglie che ora si è messa con quello che era il mio tuttofare... Pasqualino... si rende conto? Però era il compleanno della bambina, c'erano i miei figli, sa come vanno i fatti tra noi pugliesi. E così ha pensato di venire con suo fratello Franco, che Matilde non è che lo può vedere tanto perché pensa di rovinarsi l'immagine, ma la famiglia viene prima di tutto. E anche se è sfasciata, quando c'è una festa si ricompone.»

Clemente ripensò che lui e sua moglie non avevano figli ma solo Brinkley, che non era proprio la stessa cosa. Si lasciò andare a un sospiro, subito interrotto dal rumore della sua pancia, che di colpo gli ricordò che aveva solo assaggiato le melanzane. Don Mimì non riuscì a trattenersi: «Maresciallo, vuole che le faccia portare dei *nachos*? Un po' di *empanadas*? Che c'è un sacco di roba ancora dall'apericena».

Clemente si vergognava ad ammetterlo ma avrebbe accettato volentieri. Temeva però di essere giudicato dalla De Razza che stava facendo l'interrogatorio proprio in cucina, per cui disse: «No, è solo un po' di turbolenza. Quindi, tornando a stasera, dopo la processione per mare lei è venuto qui per conto suo e Ninella è venuta con Franco Torres... giusto? Quello arrestato per contrabbando».

«Esatto, ma ora ha messo la testa a posto. Ha un'agenzia di badanti.»

«Lei conosceva Adoración?»

«Poco. Quando faceva solo la tata della bambina, la vedevo se venivano a trovarmi. Ma poi da quello che ho capito faceva un po' di tutto. Era bravissima a cucinare, so che la chiamavano anche da altre parti per assaggiare i suoi piatti. Sembrava una a posto: aveva avuto una delusione d'amore, ma non dava l'impressione di doversi sistemare a tutti i costi.»

«E lei e Adoración non avete mai avuto nessuno screzio, nessuna discussione?»

«Niente di niente.»

«Come mai questa sera c'era anche Ludmilla? Non era la sua cameriera?»

«Sì, ma Adoración aveva bisogno di lei qui che Matilde voleva fare bella figura, e così le ha chiesto di venire.»

«E a lei non ha dato fastidio?»

«No, nessun fastidio. Il lavoro è lavoro.»

«A che ora è arrivato questa sera?»

«E che ne so esattamente... credo intorno alle otto e un quarto. Sono stato uno degli ultimi.»

«Cos'ha fatto?»

«Cos'ho fatto? Ho mangiato *assè*... poi era tutto strano e tutto buono, fatto con il Bimby della mia ex moglie, lei è fissata e fa tutto con il Bimby, pure il ragù.»

«Pure la mia, lasciamo stare. Comunque oltre a mangiare con chi ha parlato?»

«Con Ninella quasi sempre, anche se a volte non ci diciamo niente, ma ci basta stare vicini. Con Lorita di Bitonto... a cui ho detto che preferisco di gran lunga il Sud Barese al Nord... lo metta a verbale.»

«Eh, certo, non c'è proprio paragone. Vuoi mettere Polignano con Andria?»

Anche il maresciallo, ogni tanto, divagava.

«Eh, sì, poi gli andriesi sono tosti... non li devi mai avere contro.»

«Ma tornando a lei... con chi altro ha parlato durante la serata?»

«Be', con i miei figli, con Dora e Modesto, con padre Gianni quando è arrivato, sa io due parole le scambio con tutti, pure con Pasqualino anche se eravamo un po' in imbarazzo, ma è già tanto se siamo stati insieme nello stesso salotto.»

«E Adoración l'ha vista durante la serata? Le ha parlato?»

«L'ho salutata, e mi è sembrata sempre piuttosto indaffarata insieme a Ludmilla.»

«Ha notato qualcosa di strano tra loro due, o tra Adoración e gli altri ospiti?»

«No, no, tutto regolare.»

«Dov'era quando ci sono stati i fuochi?»

«Io ero fuori in terrazza.»

«Poteva vedere tutti gli altri?»

«Non bene in realtà, quando ci stanno i fuochi si guardano i fuochi mica le persone.»

«È sempre stato vicino a Ninella?»

Mimì ebbe un attimo di esitazione.

«Non ha capito la domanda?»

«Sì, sì. Stavo pensando che non so se mi ricordo bene... ma Ninella a un certo punto mi ha detto che rientrava dentro casa perché a lei i fuochi non interessano. Gliel'ho detto che è particolare.»

Il maresciallo si fermò un attimo e guardò Mimì per cercare di cogliere il senso di quella frase.

«Come fanno a non piacere i fuochi d'artificio?»

«Eh, che le devo dire, marescià. Le donne sono strane... mi ha detto che non le piacevano e se n'è rientrata in casa.»

«Si ricorda dov'è andata?»

Mimì ci pensò a lungo.

«Mi ha detto che veniva un po' a sedersi qui nella stanza tv.»

Il maresciallo guardò l'orologio: era passata da poco la mezzanotte. Fece firmare il verbale sperando che per una strana magia, sulla scrivania, comparisse un toast.

## 10

Il maresciallo stava ancora ripensando alla storia che gli aveva raccontato Mimì quando sentì prima un boato, poi un altro. Uscì e trovò la brigadiera con il suo stesso sguardo interrogativo mentre tutti gli ospiti rimasti erano tornati sul terrazzo: in lontananza, belli come un sogno di una notte di mezza estate, i fuochi di San Vito.

«Questi sì che sono uno spettacolo» disse la zia Dora con un piglio che venne giudicato male da tutti i presenti, soprattutto in una circostanza come quella che stavano vivendo. Avevano un bisogno inconscio di distrarsi, e vedere quelle luci scoppiettanti a distanza li riportò di colpo a un'agognata normalità, a dispetto dell'atmosfera cupa che si respirava in masseria.

Prima di riprendere ad ascoltare i testimoni, il maresciallo si appartò e fece una chiamata al sottotenente Maiellaro per informarlo di come stavano procedendo le cose.

«Le impronte le avete prese, sì?»

«Sì, sì, pure le generalità. Stiamo controllando anche le immagini delle telecamere.»

«Ottimo, perché non voglio che ti tolgano l'indagine, *e capeit?* Che già ho sentito qualche mezza frase nei corridoi che non mi è piaciuta.»

«Tipo che dicono?»

«Che non hai esperienza. Ma tu non ci pensare e vai avanti. E appena risolvi questo problema ce ne andiamo al Tropicana che il giovedì c'è "pizza & karaoke": devi sentire come faccio *Lei verrà* di Mango.»

«Va bene, Maiellaro, ma prima devo risolvere questa cosa.»

«Tu intanto chiedi, annusa e indaga.»

«Appena finisco ti dico cosa ho capito.»

Quando chiuse gli sembrò che la De Razza lo stesse osservando insospettita.

Sapeva che la serata sarebbe stata ancora lunga e non c'era spazio per le discussioni. Ognuno tornò nella propria stanza per sentire gli altri testimoni.

Per rispetto dell'età, Clemente decise di interrogare Modesto Casarano, lo zio Modesto – o Modestino, come lo chiamavano a Polignano. Era un uomo che a vederlo assomigliava al suo nome, uno di quelli che potevano avere settant'anni o cinquantacinque, perché non si capiva.

«Lei è nato a Tuglie, esatto?»

«Sì, esatto, in provincia di Lecce. Mio fratello, buonanima, era il marito di Ninella... e da quando se n'è andato siamo rimasti molto legati. Ero un po' il suo punto di riferimento.»

«E che lavoro ha fatto nella vita?»

«Il ferroviere. Prima nelle Sud Est e poi, tramite uno zio che era amico di un generale, sono entrato proprio nelle ferrovie nazionali... allora con le conoscenze si ottenevano i favori.»

«Be', ancora adesso.» Il maresciallo lo ammise con amarezza perché lui, per rispettare sempre i protocolli e non approfittarsene, era stato criticato per anni. «È per questo che si è trasferito a Castelfranco Veneto?»

«Sì... ci hanno accolto subito bene anche se eravamo meridionali... e adesso ci sentiamo più veneti di loro!»

Il maresciallo guardava Modesto tra il divertito e il perplesso.

«E sua moglie, che mi pare pugliese pure lei, è d'accordo con questo suo pensiero?»

«Certamente. Noi siamo due veneti mancati.»

«Adesso non esageriamo.»

«Ma no, è la verità. Per quello stiamo ancora insieme dopo tutti questi anni, anche se i figli non sono venuti.»

«E secondo lei questo c'entra con il fatto che vi siete un po' venetizzati... se così si può dire?»

Modesto ci pensò un attimo.

«Forse sì. Lì se qualcuno non ha figli non è un problema come da noi, e non solo se non vengono: ci sono coppie che i figli non li desiderano proprio! Succede anche qui, ma non si può dire.»

«Ma com'è che lei si sente veneto e poi dice "da noi" parlando dei pugliesi?»

Modesto iniziò a innervosirsi e, malgrado l'aria condizionata, il sudore gli segnò lentamente la fronte.

«Tutto a post, Modesto?»

«Sì, sì, a parte il caldo. La verità è che mia moglie è fissata con questa storia del Veneto... e alla fine diciamo che mi sono convinto anch'io.»

«Quindi lei non è convinto del tutto? Tanto, non si preoccupi, tutto ciò che dice rimane qui.»

Modesto annuì.

«Sono sempre le mogli a comandare. E io forse mi faccio mettere i piedi in testa.»

«Però leggo qui che ora siete residenti a Polignano.»

«Sì, perché abbiamo un trullo e quindi ci passiamo un po' di mesi quando viene la bella stagione. Per il resto stiamo a Castelfranco dove ormai abbiamo tutti gli amici.»

«Da quanto tempo avete questo trullo?»

«Più di un anno ormai.»

«E con sua moglie va d'accordo?»

«Sì, certo... basta darle ragione e fare finta di ascoltarla quando parte con i suoi monologhi. Altrimenti mi prendo i miei spazi ogni tanto, come tutti.»

«Conosceva Adoración prima di questa serata?»

Il maresciallo fece questa domanda all'improvviso per vedere l'espressione di Modesto, che non cambiò.

«L'ho incontrata poche volte e sembrava una bravissima ragazza... come tante extracomunitarie che ci sono da noi.»

Il maresciallo alzò il sopracciglio.

«Sarà mica razzista?»

«No, no... ci mancherebbe. Per noi sono tutti uguali, i mulatti, i neri, i cinesi...»

«Cosa c'entrano i cinesi?»

«I cinesi bisogna sempre tenerseli buoni, come i napoletani. Ma noi alla fine siamo dalla parte di chi lavora e di chi produce.»

Al maresciallo venne in mente *Chi non lavora non fa l'amore* di Adriano Celentano.

«Ma per quel poco che la conosceva, che persona era Adoración?»

«Una ragazza gentile e paziente, salutava tutti, molto rispettosa. Una persona a modo, se così si può dire.»

«Lei durante i fuochi è sempre rimasto fuori?»

«Io sì... mi sono allontanato solo per andare in bagno e poi sono tornato in terrazza.»

«Ha incontrato qualcuno?»

«Franco. Era in bagno prima di me.»

«Quindi quando lei è andato alla toilette era occupata?»

«Sì... ma dopo poco lui è uscito e sono entrato io.»

«E intanto fuori cosa succedeva?»

«In che senso? Mentre facevo la pipì niente. Poi sono iniziati di nuovo i fuochi, così mi sono sbrigato e sono uscito di corsa per andare a vederli.»

«Ha notato qualcosa di strano?»

Lo zio Modesto si sforzò di pensare.

«C'è una cosa, maresciallo... ora che ci penso.»

«Mi dica.»

«Quando stavo per chiudere la porta del bagno ho notato che Franco andava a sinistra, e non a destra come sarebbe stato logico... ma forse è stata solo una sensazione.»

«Ci pensi bene.»

Modesto chiuse un attimo gli occhi per rivedere la scena.

«È quello che mi ricordo, ma sa... può essere che mi sbagli.»

«Quindi secondo lei non andava verso il salottino degli angeli e la terrazza ma dall'altra parte, giusto?»

«Sì. Così mi è sembrato, maresciallo.»

«Ma quando lei è uscito è tornato vicino a sua moglie?»

«Sì, l'ho raggiunta e ce li siamo visti insieme.»

«E com'erano i fuochi?»

«Stupendi, bisogna dirlo ora che mia moglie non c'è. A me le pere sono piaciute tantissimo.»

«Lei sa quanto costano dei fuochi del genere?»

«No, ma mia moglie lo sa di sicuro, vuole che la chiami?»

«No, no... Modesto. Stia tranquillo. Le faccio portare un bicchiere d'acqua?»

«No, grazie, sono a posto così.»

Il maresciallo rimase un po' a studiarlo in silenzio.

«Lei si è fatto un'idea di chi potrebbe aver colpito Adoración?»

«Non può essere stato uno di noi... qua ci stanno tutte persone perbene, c'è pure il prete! Ci conosciamo tutti, ci rispettiamo... sicuro che è entrato qualcuno da fuori. Di questi tempi dicono che a Polignano giri anche una banda che va a rubare nelle ville in campagna.»

«E dove l'ha sentito?»

«La signora Labbate. Radio Polignano. Che tra l'altro è venuta pure lei qua alla festa e poi se n'è andata abbastanza di corsa... Lei sicuro sa qualcosa di questo fatto.»

«E come mai se n'è andata?»

«Non lo so, forse si era imbucata. La signora Labbate è peggio di mia moglie: le chiedi una parola e ti fa un discorso di mezz'ora.»

Al maresciallo venne da ridere, mentre il suo stomaco continuava a gorgogliare.

«Vuole che le faccia preparare qualcosa, maresciallo?»

«No, no... tutto à post. È aria.»

Mancava poco all'una, la fame continuava a bussare, ma il maresciallo voleva soprattutto sapere se era già venuto fuori qualcosa dai filmati delle telecamere.

## 11

Gli uomini della Scientifica lasciarono la masseria senza accettare nemmeno un caffè. Avevano repertato l'angioletto, schedato le
impronte digitali dei presenti e posto i sigilli alla stanza davanti
agli occhi attoniti di Matilde, che sedeva in trance sulla sua poltrona in ecopelle.

Agata intanto riprese gli interrogatori con uno spirito più dise-
so. Gianpiero le aveva mandato un selfie dalla piazza dell'Orologio:
"Qui è pieno di gente ma senza di te è il vuoto" e lei si era sciolta
come i gelati che lui vendeva. Gianpiero faceva l'agente di com-
mercio dei cornetti Algida in tutta la Puglia, e questo aveva reso
più facile il suo trasferimento. Agata lo chiamò per un saluto e lui
rispose con la bocca piena di mandorle zuccherate.

«Ti sei liberata, brigadiera De Razza?»

«Macché, sono ancora in alto mare.»

«Anche qui c'è casino... poi dev'essere successo qualcosa perché
pare che abbiano ammazzato una peruviana in una casa.»

«Eh, lo so. Mi trovo proprio qui ora.»

Gianpiero restò sorpreso.

«Ah, non lo sapevo.»

«Non volevo darti pensieri. Appena finisco ti chiamo.»

«Figurati, Agata, non ti preoccupare. È il tuo lavoro.»

Lei ebbe una strana sensazione: «non ti preoccupare» era la frase che il suo ragazzo in genere diceva quando stava per arrabbiar-
si, ma non ebbe il tempo di rifletterci su.

L'ingresso trionfale in cucina di Dora Centrone, sposata Casarano, riportò subito la brigadiera alla realtà.

La donna entrò con un piglio che nessuno aveva avuto finora: più che testimone davanti a un'ufficiale di polizia giudiziaria, sembrava ospite di un programma televisivo.

Agata cercò subito di mettere i puntini sulle "i" ricordandole con chi stava parlando, ma sortì solo l'effetto di aumentare la sua vena polemica.

«Brigadiera, guardi che io sono ormai da anni residente a Castelfranco Veneto, quindi a me i pettegolezzi non interessano.»

«I pettegolezzi non hanno latitudini, signora, e queste sono indagini. Ma ora mi racconti un po' la sua vita. Che studi ha fatto... come ha conosciuto suo marito...»

La zia Dora diede prima un'occhiata all'orologio, era quasi l'una, poi si guardò un attimo intorno, perché le sarebbe piaciuto avere una platea che ascoltasse la storia della sua vita.

«Io sono nata l'11 settembre come il giorno delle Torri Gemelle e sono Vergine ascendente Leone, perciò può capire anche lei che razza di caratterino mi sono trovata...»

Agata la interruppe subito.

«Signora, io non sono Paolo Fox.»

«Infatti mi ricorda di più Samantha Fox in versione mora.»

«Non faccia la spiritosa. Le ho chiesto che studi ha fatto, la pregherei di attenersi alle mie domande.»

«Va bene, dottoressa... comunque anche Paolo Fox sbaglia, se vogliamo dirla tutta... perché gli Acquari fanno tanto i simpatici ma poi sono dei despoti e pensano sempre di avere ragione. Lei di che segno è?»

La brigadiera sollevò lo sguardo dalla tastiera, in dubbio se rispondere o litigare.

«Io sono Bilancia.»

«Uh, permalosa ma precisa, e sempre indecisa. Scommetto che non è sposata.»

«In effetti... no.»

«Si vede subito. Bilancina e salentina è un bel connubio. Io invece alla fine sono nata a Locorotondo e mi sono sposata uno di Tuglie... per fortuna poi siamo andati al Nord.»

Agata cercò di riportare la conversazione su ciò che le interessava.

«Ma prima di andare al Nord che studi ha fatto, mi dica un po'.»

«Io ho fatto la scuola di perito aziendale, ma le dico la verità... non sono nata per lavorare. A me piace la bella vita, lo shopping, le vacanze...»

«Be', quello a tutti, però dobbiamo pur mangiare.»

«Poco, però, che poi si diventa come lei.»

In cucina calò improvviso il gelo e Dora provò un'esperienza vicina alla morte.

«Nel senso... volevo dire... che lei sta bene anche un po' più burrosa, diciamo. Non è per niente grassa.»

«...»

«... un bellissimo décolleté.»

«Signora, vada avanti.»

«Tornando al discorso e parlando seriamente, mio marito ha lavorato per tutti e due: ha sempre fatto straordinari, lavoretti extra...»

«E lei?»

«Io no.»

«Figli?»

«I figli alla fine ti danno più grane che gioie... anche se forse lo penso perché non ci sono venuti. E lo dico solo a lei, adesso, visto che vuole la verità. Così ce ne siamo sempre stati tra di noi, con pochi amici fidati.»

«E ora come mai siete qui a Polignano?»

«Be', con mia cognata Ninella siamo sempre stati legati... aveva sposato il fratello di mio marito, che però è morto quasi subito. Che disgrazia per lei, a crescere due figlie da sola, e poi ti chiedi perché non abbiamo fatto figli. Anche se è una donna con un carattere molto particolare... mamma mia, non le puoi dire niente che se la prende subito... che poi è tipico dei meridionali.»

La brigadiera digitava in fretta per cercare di non perdere ulteriormente la pazienza.

«Poi abbiamo ereditato questo trullo, una cosa piccola ma graziosa che ora possiamo allargare perché è cambiato il piano edilizio proprio da poco. Magari apriamo un bed and breakfast come ha fatto la signora Labbate che è partita dal niente e adesso ha mezzo centro storico, che manco sa l'inglese, quella... si fa capire a gesti.»

«Ma lei l'inglese lo parla?»

«*Of course.* Ho fatto la scuola di perito aziendale corrispondente in lingue estere, gliel'ho appena detto. Mastico pure un po' di francese, poi ho fatto un corso alla Cambridge School.»

«Ha studiato a Cambridge?»

«No, la Cambridge School di Polignano vicino alla piazza. Quindi insomma, con le lingue me la cavo bene.»

«Ma da chi avete ereditato questo trullo?»

«Dalla zia Menina, una zia di mio marito. In realtà l'hanno ereditato lui e Ninella, che era vedova, ma poi lei ci ha venduto la sua parte e ora è solo nostro... tutto regolare, siamo andati dal notaio... noi abbiamo sempre pagato tutte le tasse, lo scriva nel verbale!»

Agata ormai era in balia dei deliri della zia Dora.

«E Adoración che persona era, secondo lei?»

«Per me aveva una doppia vita, altrimenti non faceva la brutta fine che ha fatto.»

«Ma perché dice questo? La conosceva?»

«No, però sa... qui a Polignano le cameriere e le badanti straniere fanno gruppo a sé... se ne stanno tra di loro, sono lontane dagli occhi della famiglia quindi se ne fregano dei nostri principi morali di integrità... di sicuro si sarà messa a fare la scema con qualcuno.»

«Questo lo dice perché aveva notato qualcosa di strano?»

«Lo dico perché gli stranieri sono sempre strani. E non perché sono razzista, anzi: a volte sono più bravi di noi, ma dobbiamo ammetterlo: qui cos'hanno da perdere? E poi cos'hanno? Niente. Per quello cercano soldi e guai... alla fine a pensar male non si fa mai peccato.»

«Quindi lei pensa che Adoración avesse dei nemici?»

«Non lo so perché non la conoscevo, la incontravamo a volte in giro quando accompagnava la bambina... ma per il resto buongiorno e buonasera...»

«Ha notato qualcosa di strano nel comportamento degli altri ospiti?»

«Sì, la vicina di Bitonto, quella Lorita. Guardava ogni cosa come se la dovesse portare via, ha presente i ladri quando fanno il sopralluogo?»

Agata non sapeva cosa rispondere, ma era incuriosita dalla dialettica e dalla capacità di osservazione di quella donna minuta e pettegola.

«Quindi secondo lei la vicina nascondeva qualcosa?»

«Non mi ha convinto... poi anche dopo era un po' strana, se ne voleva andare subito a casa, diceva che a malapena ci conosceva e che non c'entrava niente e allora secondo me aveva qualcosa da nascondere. Noi della Vergine le cose ce le sentiamo.»

«E qualcun altro che ha avuto un comportamento strano?»

«Pasqualino... non era il solito Pasqualino.»

«Di solito com'è?»

«Be', lui è uno di quelli che ce l'hanno fatta e a Polignano basta avere un po' di soldi e ti senti subito Gianluca Vacchi... quindi un po' sa tutto lui... poi con Matilde, che non sarà come la Bellucci ma è sempre una che si tiene bene, i soldi non le mancano, ha pure due bei figli... anche se uno è gay, va detto, e quindi Pasqualino è a posto, ma stasera era un po' teso, mi è sembrato anche che scambiasse qualche occhiata proprio con Adoración.»

«Occhiata di che tipo?»

La zia Dora si rese conto che si stava mettendo nei guai da sola.

«Non so, si guardavano. Ma forse la puntava perché era la cameriera. Stasera è stato tutto il tempo un po' nervoso, e non parliamo di quando poi si è inceppata la consolle, ma io dico: vuoi fare i fuochi megagalattici e non metti il tecnico che li sappia sparare? Questi qua di paese anche quando tengono tanti soldi non hanno il senso che abbiamo noi della visione, del progetto, improvvisano su tutto perché gli manca solo una cosa: la mentalità.»

«Quindi Pasqualino era strano. E gli altri?»

«Be', Ninella a un certo punto se n'è andata proprio.»

«Qualcun altro si è mosso?»

«Mio marito. Anche lui è un altro personaggio... è andato in bagno ma poi a un certo punto è tornato e anche Franco è sparito per un bel po'... chissà che ha combinato. E se vuole sapere proprio tutto, pure Ludmilla era sempre tra una stanza e l'altra della casa con il telefono in mano. Anche lei non mi convince.»

La zia Dora aveva parole buone per tutti, ma Agata non si lasciò condizionare.

«Questo lo valuteremo noi. Invece cosa mi dice di Matilde?»

«Da quando sta con Pasqualino ha trovato l'America. È un bell'uomo, sta al suo posto, la soddisfa e la fa comandare. L'unico problema è che lui alle donne piace e questo non la fa stare tranquilla. Lei ha sempre bisogno di conferme, altrimenti non faceva questo apericena lo stesso giorno della festa di San Vito. E ci è scappato pure il morto, dài! Ma come si fa!»

«Signora, la prego di avere rispetto per la situazione e sappia che dobbiamo sentire ancora un po' di persone... mi dica solo dove si trovava mentre venivano sparati i fuochi.»

«Io sono sempre stata in terrazza perché ero proprio incuriosita da tanta pacchianeria.»

La brigadiera aveva già inquadrato il personaggio: le fece firmare il verbale, ma ci impiegò più del solito perché Dora volle leggere tutto per filo e per segno per il timore di essere stata equivocata. Ogni tanto annuiva soddisfatta nel rileggere le proprie dichiarazioni: si dava ragione da sola. Alla fine firmò "Centrone Dora", cognome e nome, come le avevano insegnato da bambina.

## 12

Il maresciallo Clemente sentì il bisogno di una pausa, e pensò che potesse essere utile, oltre che galante, chiedere alla brigadiera De Razza se voleva un caffè. Il bello di essere maresciallo, per lui, era anche quello: sentirsi padrone in una casa non sua. In realtà, gli scocciava ammetterlo, ma si trovava in difficoltà, e se c'era una cosa che lo metteva in crisi era fare «brutta figura».

La brigadiera era un po' sotto pressione, perché sapeva di poter contare solo sulle proprie forze e non si fidava troppo di Clemente, anche se almeno lui non era indisponente come altri incapaci che aveva incontrato, che usavano l'arroganza per nascondere l'ignoranza. Pensava che per risolvere un caso c'è bisogno delle famose quattro "C": calma, curiosità, culo e caffè. Per cui fu ben lieta di accettarne uno: le pause sono sempre amiche delle buone idee.

Il maresciallo ne chiese un paio con la moka alla povera Ludmilla, mandandola un po' in palla perché lì vigeva la dittatura delle cialde: nel pomeriggio aveva passato un'ora a ripassare i nomi di tutte le varianti che avrebbe dovuto offrire alla festa.

I due si accomodarono in terrazzo, davanti al buio del giardino dei «due ulivi secolari», le cui forme nella notte assumevano un aspetto più malinconico che poetico.

«Agata, come sono andati i fatti, secondo te?»

Lei si compiacque della domanda.

«Be', per ora ci ho capito poco... ma sembrano tutti un po' reticenti e un po' folli... almeno le due donne che ho incontrato finora. Tu?»

«Io da qualche mezza parola mi sono fatto l'idea che questa Adoración era un po' diversa dalle tate che si vedono nei film in televisione... pure di fisico.»

«E che c'entra il fisico?»

«Be', una così piccolina è più facile da buttare a terra.»

«Quindi dici che può essere stata anche una donna?»

«Non lo so. Anche se queste donne non hanno paura di niente... ai figli da piccoli davano due ceffoni se non filavano dritto. Non come ora che comandano i bambini.»

«Io non ho figli, maresciallo, per cui non lo so.»

«Neanch'io. Non sono arrivati.»

«Mi spiace.»

«Succede. Ma almeno con te ne posso parlare: tu mi capisci.»

Agata rimase sorpresa. Dietro quegli occhi verdi, Clemente nascondeva un lato imprevisto.

«È vero, maresciallo: chi ha figli sostiene che chi non ne ha non ha alcun diritto di parlarne. Ma nulla mi vieta di avere un'opinione e di poterla esprimere, non credi?»

«Poi una salentina ha sempre un'opinione su tutto, come Alba Parietti.»

La brigadiera scoppiò in una risata. Non voleva buttarla sullo scontro di province, per cui fu felice di veder arrivare Ludmilla con i caffè che era riuscita per miracolo a fare con la moka. Tremava vistosamente, li appoggiò sul tavolino e si allontanò quasi scappando.

«Dobbiamo farle un po' paura» disse Agata.

«Meno male. La paura è amica della verità... quando hai paura è più facile che confessi... oppure di colpo riesci a inventarti tutto. Com'è il tuo caffè?»

«Fa schifo. Il tuo?»

«Pure. Io bevo solo caffè Quarta.»

I due risero di nuovo e capirono che in fondo non appartenevano a mondi così lontani. Il maresciallo si accese una sigaretta, mentre Agata tirò fuori il computer.

«Secondo te perché è morta proprio lì?» chiese lui.

«Be'... è la stanza più vicina al salone della festa ma anche la più appartata. E lei doveva conoscerla molto bene vista la quantità di soprammobili da spolverare.»

«Quindi secondo te Adoración ha scelto volontariamente di andare lì?»

«Lì è dove avevano nascosto la torta che lei doveva portare... una stanza che la bambina non frequentava e che era al riparo da occhi indiscreti e dove lei aveva il permesso di stare.»

«Adoración conosceva chi l'ha ammazzata?»

«Non lo so, maresciallo. Dipende da cosa dicono i filmati delle telecamere esterne.»

«Io ho la sensazione che sia stato uno di loro.»

«In base a cosa lo dici?»

«Dall'aria che si respira. Quando la gente è innocente te lo grida anche stando in silenzio. Qui sono tutti troppo calmi... e quando c'è troppa calma qualcuno è colpevole.»

«Dove l'hai letto?»

«Da nessuna parte. L'ho percepito.»

Agata restò così stupita da questa uscita che si sbrigò a trangugiare il suo caffè per tornare subito al lavoro.

## 13

Ninella e don Mimì si ritrovarono per le strade di una Polignano gremita e innocente, brulicante di persone tra i vicoli bianchi, le luminarie e il vento caldo dell'estate.

Non riuscivano a parlare, né sapevano cosa fare, per cui si limitarono a camminare senza una meta. Durante la festa patronale era incredibilmente più facile essere anonimi, vista la quantità di curiosi e turisti, loro che erano sempre capaci di attirare l'attenzione dei passanti. Due consuoceri che decidono di fidanzarsi a sessant'anni in un piccolo paese offrono sempre spunti di conversazione.

«Me lo sentivo che non dovevo venire.»

«Ninella, e che dovevamo fare... era il compleanno della bambina. Ancora ci dicono che siamo egoisti, che pensiamo solo a noi, alla nostra nuova vita, che poi secondo me Adoración si è sentita male e ha battuto la testa.»

Ninella non avrebbe mai pensato di dover parlare di una cosa del genere, e aveva già la sensazione che le persone li stessero osservando. La voce non si era ancora sparsa completamente ma l'assenza del prete aveva creato non pochi allarmismi. Poi il verbale le aveva messo addosso una strana agitazione e la brigadiera l'aveva guardata un paio di volte in un modo che non le era piaciuto.

«Ma hai sentito cos'ha detto il medico legale? Adoración è stata colpita in testa con quel soprammobile. Quindi qualcuno glielo deve avere tirato addosso.»

«Perché mi guardi mentre lo dici?»

«Perché sto parlando con te, Mimì. Tutto a posto?»

«Non vorrei che tu pensassi...»

«Io non penso a niente, ma solo a questa povera ragazza che non c'è più e non sappiamo bene perché.»

Ninella continuò a scuotere la testa in mezzo alla gente, ma era tale la confusione che passò quasi inosservata.

«Cerca di calmarti, amore mio.»

«Tu non pensare a me, ma solo alla tua coscienza. È a posto?»

«La mia coscienza non è mai a posto. Poi con Adoración ultimamente c'erano state un po' di discussioni.»

«Come discussioni?»

Mimì si lasciò andare a un sospiro e Ninella ebbe un brutto presentimento.

«Sì... voleva portarmi via Ludmilla e farla andare a lavorare da Matilde. Dopo che io l'ho messa in regola, e veniva tutti i giorni... proprio lei doveva contattare con tutte le persone che ci sono? Allora qualche giorno fa l'ho chiamata e gliene ho dette quattro.»

«Ma non me l'hai mai raccontato.»

«Poi tu te la saresti presa con Matilde e già che avete ricominciato a parlarvi per me era importante...»

«Questa cosa l'hai riferita al maresciallo?»

«Certo.»

Non era vero.

«E poi comunque mi ha fatto giurare di mantenere il segreto, per cui non possiamo parlare di niente. A me basta che ci lascino in pace, che pure questa macchia sulla nostra famiglia proprio non ce la meritiamo.»

Ninella stava iniziando a spazientirsi.

«Non è una macchia, forse c'è stato un omicidio e quindi dobbiamo rispettare il lavoro dei carabinieri e metterci il cuore in pace.»

Mimì avrebbe voluto spegnere tutto e fuggire via, ma le luminarie gli ricordavano che quello era uno dei giorni che più aveva amato fin da bambino.

Passarono dall'Arco Marchesale ed entrarono nel centro storico, che profumava di dolci e di fritto. Le persone si muovevano a rilento, per inerzia e per quella necessità di "doverci essere" a ogni costo.

Entrambi sentirono il bisogno di salutare il Santo che grazie all'inceppo era stato issato in ritardo nella postazione a dominare la piazza. Quando San Vito apparve, immobile e luminoso, provocò in loro una forte emozione e un senso di tranquillità. Aveva ancora ai piedi il cuscino di rose e un'aura di pace che strideva con il brusio intorno. Le vecchiette del paese, pur in mezzo alla confusione, avevano già deciso dove sistemare le sedie per vegliarlo durante la notte.

I due si fecero il segno della croce e imbastirono una preghiera chiedendo solo «Aiutaci tu». Uno spicchio di luna fece capolino tra i tetti.

«La vedi, Ninella?»

«Sì. Ogni volta che appare, Nancy corre a prendere il telefono e inizia a fare foto come una pazza. Io invece me la guardo e basta, tanto la luna non si lascia fotografare. E quando la vedo penso sempre che non può finire male.»

«Cosa?»

«La giornata, l'amore, la vita. La luna che spunta all'improvviso è un messaggio di speranza messo dentro una bottiglia, e credo che ogni persona che la vede per un attimo si dimentichi dei dolori.»

Mimì tornò bruscamente alla realtà.

«Dici che è stato uno di noi?»

«Spero di no, ma San Vito ci aiuterà. Intanto dobbiamo imparare una lezione.»

«Quale?»

«A goderci le cose quando ci sono. Perché può finire tutto in un attimo e indipendentemente da noi. Per cui non roviniamoci l'esistenza con i rancori, perché quelli ci fanno vedere solo il buio, mentre noi dobbiamo ricordarci che prima o poi, da qualche parte, c'è la luna.»

Mimì emise un lungo sospiro. Si portò una mano davanti agli

occhi e cominciò a singhiozzare. Un uomo che piange assomiglia incredibilmente a un bambino, e Ninella lo lasciò sfogare. Aveva imparato che non sempre si può piangere in due: ci sono volte in cui devi trattenere le emozioni per permettere all'altra persona di leccarsi le ferite. Questa volta era toccato a lei.

Appena Mimì si riprese e la guardò, lei gli asciugò l'ultima lacrima, lo abbracciò e gli diede un bacio.

Agli occhi di tutti sembravano due innamorati che ballano un lento. Mimì invitò Ninella a fermarsi a dormire da lui, ma lei era ancora troppo turbata e voleva rivedere sua figlia Nancy. Nei momenti drammatici nessuno più dei figli ti fa sentire vulnerabile, e Ninella aveva bisogno di lei. La chiamò, ma era in giro con Tony, senza credito sul telefono e senza wi-fi, per cui risultava irraggiungibile. Salutò Mimì con una carezza cui aggiunse «ci sentiamo domani» e se ne tornò, da sola, nella sua casetta. Girava tra i vicoli cercando di evitare tutti, perché ogni volta che incrociava lo sguardo di qualcuno si sentiva giudicata. L'interrogatorio le aveva lasciato addosso una sensazione che non aveva mai provato. Stava per infilare le chiavi nella toppa quando la signora Labbate, che la stava aspettando alla finestra, la fermò.

«Ninella... ma allora è vero che hanno sparato ad Adoración?»

Le voci avevano iniziato a correre prendendo una piega surreale.

«Non le hanno sparato... probabilmente ci dev'essere stato un incidente, una lite... e ha sbattuto la testa...»

«Veramente mi hanno detto che le hanno sparato durante i fuochi d'artificio... Meno male che non mi sono fermata... ancora mi inquisivano... che tu lo sai Ninella... è un attimo. E ti hanno già rilasciato?»

«Signora Labbate, non mi hanno rilasciato perché non sono indagata... semplicemente mi hanno fatto un po' di domande come a tutti per sapere come sono andate le cose.»

«E per te come sono andate? Chi è stato?»

«Quello che dovevo dire l'ho detto.»

«Ti confesso che a me quell'Adoración non è mai piaciuta... con quell'aria da gattamorta... che faceva il giro delle sette chiese con la scusa delle pulizie.»

«Se sai qualcosa, anziché da me magari faresti meglio ad andare dai carabinieri. Anche perché da quello che ho capito la casa che ha preso in affitto Adoración è tua.»

La signora Labbate si sentì mancare la terra sotto i piedi.

«No, no, io mi faccio i fatti miei... sono sempre stata riservata e lo sai. Ma tuo fratello è rimasto ancora là alla masseria?»

«Sì, perché veniamo ascoltati uno alla volta.»

«Ho capito, ho capito, Ninella... quindi abbiamo un assassino a Polignano. Stanno già venendo quelli della "Vita in diretta", mi hanno chiamato per avere delle stanze... vado dentro, *meh*, che mi do una sistemata... pensa se mi intervistano.»

Ninella non seppe davvero cosa rispondere. Voleva solo tornare a qualche ora prima, a quando aveva spiato il mare dalla sua finestra pregando che si calmasse.

Appena entrò in casa, trovò un biglietto di Nancy: "Mamma, io non ce la faccio a stare a Polignano stasera durante la festa. Troppo commerciale. Se non mi vedi tornare non ti preoccupare... forse mi fermo da Tony".

## 14

Tra tutti gli invitati, la più sconvolta sembrava Chiara.

Entrò nella cucina della suocera trascinando i piedi come sua figlia quando non voleva andare a scuola. Era stanca, provata e voleva solo tornarsene a casa e provare a dormire.

Per la brigadiera aveva un po' troppa fretta, ma ormai aveva imparato a non fidarsi della prima impressione, perché qualche volta si era sbagliata. La guardò e rimase incantata da quella bellezza non costruita, i capelli biondi, il trucco leggero, un abito svolazzante a fiori che strideva con l'atmosfera tetra che odorava di sospetto.

«Signora Chiara Casarano in Scagliusi, giusto?»

«Esatto. Figlia di Ninella, sorella di Nancy, moglie di Damiano, nuora di don Mimì e di Matilde e mamma di Gaia.»

Agata provò ad accennare un sorriso.

«Che persona è sua madre?»

«È mia madre. Una donna insostituibile e inimitabile... bellissima, intransigente, poetica, rompipalle... anche se sicuramente è una che se può complicarsi la vita, lo fa. E forse questo lo faccio anch'io.»

«E sua sorella?»

«Nancy è un'eterna adolescente... come se non riuscisse a crescere. Per anni ha sognato di diventare cantante, ora vuole fare l'influencer ed è sempre con il telefono in mano... ma Tony, il suo ragazzo, è diventato geloso, per cui lei è molto combattuta tra l'amore e i social. C'è una cosa che ci accomuna tutte e tre, e sa cos'è? Che ci piacciono uomini un po' stronzi, perdoni il francesismo. O forse siamo noi che vogliamo solo uomini che ci complichino la vita. Lei è sposata?»

Agata non ne poteva più di questa domanda, ma scosse la testa senza parlare. Pensò che lei era un po' diversa: non aveva mai avuto particolari problemi con Gianpiero, almeno fino a che avevano vissuto da eterni fidanzati a distanza.

«E cosa le piace di suo marito?»

Chiara finalmente si lasciò andare.

«Mi piace che alla fine gli voglio bene così com'è... di sicuro mi ha fatto un po' di corna, ma poi torna sempre con la coda tra le gambe...»

«E a lei non è mai capitato?»

«Più o meno...»

«Cosa intende con più o meno?»

«Purtroppo sì, tra l'altro con un carabiniere.»

La brigadiera si fermò un attimo: la curiosità stava prendendo il posto dell'indagine.

«Ed è di Polignano?»

«Brigadiera, non solo è di qui... ma è l'appuntato che sta sorvegliando la casa di mia suocera.»

«Ma chi, Perrucci?»

«Sì, lui. Savino.»

«Ma prima che si sposasse?»

«Infatti l'ho conosciuto per quello, io faccio la wedding planner... per cui è cominciata così...»

«E?»

«E poi è finita. Ma anche il suo matrimonio è durato poco... Per me è stata una sbandata... ma devo dire che a volte bisogna sbagliare strada per ritrovare quella giusta. Però la prego, non lo dica a mio marito, che ha solo un sospetto, mi raccomando.»

Agata avrebbe voluto chiederle di più perché, pur facendo fatica ad ammetterlo, trovava Perrucci fisicamente irresistibile. Al punto che cercava di non conoscerlo meglio proprio per non cadere in tentazione: "Uno non vuole, due non fanno" diceva sua nonna, e lei non l'aveva mai dimenticato.

«E ora vi siete salutati?»

«Sì, ma facendo finta di nulla... Anche perché c'è Damiano.»

«Si è pentita?»

«In realtà no. È stato un momento magico per me, mi ha aiutato a capire cosa volevo in un periodo in cui mi sentivo trascurata.»

«Ha idea di chi possa aver ucciso Adoración?»

Come sempre, la domanda arrivò all'improvviso.

«Di sicuro non io.»

«Perché?»

«Perché non riuscirei nemmeno a immaginarla una situazione del genere... poi magari ci sono persone che perdono il controllo in certi momenti di rabbia... ma io no.»

«Lei andava d'accordo con Adoración?»

«Abbastanza.»

«Come mai solo abbastanza?»

«Perché ultimamente era cambiata... non lo so, come se fosse sempre distratta. Aveva il compito di insegnare un po' di spagnolo alla bambina, ma dava retta solo a mia suocera. E quando le chiedevamo di guardarla la parcheggiava davanti alla televisione e se ne stava lì al cellulare a scrivere oppure a discutere con gente in spagnolo. Ho provato a rimproverarla ma sembrava quasi non le interessasse...»

«Avete mai avuto liti pesanti?»

«Una volta mi ha detto che la bambina era più affezionata a lei che a me... ma l'ha fatto apposta per innervosirmi. E poi non so... aveva iniziato ad avere troppi impegni, andava anche in altre case a pulire... mi sembrava che ultimamente avesse cambiato anche modo di truccarsi, un po' come quando ti fidanzi.»

Agata ascoltava sempre più attentamente.

«Stasera ha notato se Adoración aveva puntato qualcuno? O qualche gioco di sguardi...»

«Mi è sembrata un po' fredda con Pasqualino... lui deve averle chiesto qualcosa e lei gli ha risposto in un modo un po' troppo brusco per essere una dipendente.»

«Cioè ha avuto la sensazione che tra i due ci potesse essere qualcosa che andasse oltre il rapporto lavorativo?»

«Forse... è stata più che altro una sensazione. Per il resto Adoración stasera mi sembrava particolarmente pimpante... un po' con tutti gli ospiti.»

«Anche con il prete?»

«Mi faccia pensare... sì, quando è arrivato, che aveva pure fretta, gli ha portato subito l'aperitivo come piace a lui.»

«Cioè?»

«Padre Gianni lo spritz lo vuole con il Campari, non con l'Aperol. Gli piace più forte, tutti ormai lo sanno a Polignano, e Adoración gliel'ha preparato senza che gliel o chiedesse.»

«Cosa pensa della sua vicina di casa, Lorita?»

«È brava ma un po' rosica secondo me, forse perché abbiamo più possibilità economiche.»

«E i suoi zii Dora e Modesto?»

Chiara fu molto indecisa su cosa dire.

«Lei non è cattiva ma a volte è pesante e lui dipende totalmente dalla moglie. Sono due provinciali convinti di avercela fatta solo perché vivono tra Castelfranco e Polignano, ma sempre pugliesi restano. I parenti te li devi tenere per come sono.»

«Lei era in terrazza quando hanno sparato i fuochi?»

«Sì.»

«Dove esattamente?»

«Quasi attaccata al muro nell'angolo... ho lasciato che gli altri invitati stessero davanti, anche se al buio eravamo tutti con gli occhi al cielo a vedere lo spettacolo. I fuochi mi fanno sempre tornare bambina, sa? Hanno una strana magia e un po' di malinconia, perché segnano sempre la conclusione di qualcosa.»

Agata ripensò che Ninella aveva una visione completamente diversa, ma altrettanto interessante. Di sicuro non erano donne banali.

«Ha visto qualcuno allontanarsi durante i fuochi?»

«Mia madre, tipico suo... a lei i fuochi proprio non interessano! Poi lo zio Franco e lo zio Modesto mi sono passati davanti... credo per andare in bagno.»

«Li ha visti rientrare?»

«No, perché poi è ripreso lo spettacolo ed è saltata la corrente.»

«Ha notato qualcos'altro di strano?»

«Sì, mia suocera era particolarmente nervosa e non ha quasi mai rivolto la parola a Pasqualino.»

«E il fatto che sua madre si sia fidanzata con suo suocero le ha creato dei problemi?»

«No, perché era una storia più grande di loro e di noi. È l'unico vero grande amore che io abbia conosciuto. In confronto a quei due, siamo tutti dei dilettanti. Hanno sofferto, si sono aspettati, si sono ritrovati e non si sono più lasciati. Quanti avrebbero avuto il coraggio di farlo alla loro età?»

Agata lasciò vagare un attimo la mente. Chiara Casarano le aveva aperto un mondo al di là del delitto su cui stavano indagando. Le fece firmare il verbale, la salutò e iniziò a pensare a cosa aveva ascoltato fino a quel momento. Era notte fonda e non ci stava capendo ancora niente.

## 15

«Damiano, lei come ha vissuto l'omosessualità di suo fratello?»

Da quando aveva saputo di quel coming out durante il famoso matrimonio di qualche anno prima – ne avevano parlato anche nel gruppo "Polignanesi forever" – il maresciallo Clemente avrebbe sempre voluto sapere cosa fosse passato per la testa dello sposo che aveva ascoltato quella dichiarazione davanti a 287 invitati.

Damiano fu infastidito da quell'esordio troppo personale, ma il maresciallo combatteva la stanchezza e la fame con la curiosità. L'unica cosa che lo avrebbe sollevato in quel momento sarebbe stato il karaoke. Se fosse stato per lui, avrebbe passato la vita a cantare, interrompendosi solo quando sua moglie faceva capolino dicendo: «È pronto». Invece si trovava a interrogare un compaesano che lo guardava un po' scocciato, anche se aveva fascino da vendere. Gli occhi segnati ma profondi, i capelli ricci apparentemente in disordine e una balbuzie che nei momenti di tensione tornava prepotente.

«Maresciallo, ma che d... d... domanda è?»

«È una domanda che io le faccio e a cui lei è tenuto a rispondere senza polemizzare.»

Damiano tornò subito al suo posto, anche se covava una rabbia che faceva fatica a gestire. Era una testa calda e non era abituato a ricevere ordini.

«Dunque, come l'ho presa... male. Cioè io lo sapevo che mio fratello era g... g... gay, quelle cose che sai e che non dici per tante ragioni... poi lei conosce Polignano e sa com'era un po' di anni fa e lui l'ha confessato proprio il giorno del mio matrimonio! C'era pure il sindaco!»

«E ci stava qualcuno delle forze dell'ordine?»

«Ma no, marescià, abbiamo chiamato solo il s... sindaco. Se lei abitava a Polignano sicuramente mio padre l'avrebbe invitata. Anzi mia madre, che ci tiene all'immagine pubblica. Sono certo che l'avrà invitata anche stasera.»

«Sì e per fortuna non sono venuto...»

Il maresciallo si rese conto di aver fatto una gaffe e Damiano si sentì in leggero vantaggio.

«... nel senso che sarebbe stato complicato per me svolgere quest'indagine, mi capisce, Damiano.»

I ruoli si erano ribaltati e Clemente si sarebbe volentieri dato dei ceffoni, ma cercò di riprendere in mano la situazione.

«Qual era il ruolo di Adoración nella vostra famiglia?»

Prima di rispondere, Damiano cercò di scegliere le parole migliori.

«Anche in questo caso, l'idea è venuta a mia madre. Lei voleva una tata tu... tuttofare di quelle che si vedono nei film, tipo Mary Poppins, poi aveva sentito in televisione che le famiglie ricche del Nord hanno la tata straniera e lei aveva voluto fare lo stesso. Si sentiva un po' la milanese di Polignano.»

«Ma quindi era una tata o una cameriera?»

«Maresciallo, lo sa come vanno le cose in Puglia... si comincia a fare la baby-sitter e dopo un po' fai tutto, dalla pizza alla ta... ta... tassista. E devo dire che Adoración per essere una sudamericana si dava molto da fare... anche troppo.»

«Perché, cos'ha contro i sudamericani?»

«Niente, maresciallo, anzi mi scusi ma sa... è l'emozione. Sono brave persone, però si dice che sono un po' pigri, non è che proprio si ammazzano di lavoro.»

«Ma quelli siamo noi, *uagliò*! Mica solo i sudamericani... l'essere umano, diciamolo, non è fatto per lavorare.»

Su questo i due erano d'accordo.

«E perché ha aggiunto che si dava troppo da fare? Cosa intendeva?»

«Io non ho detto questo.»

Damiano in un attimo si era giocato il suo vantaggio.

«Guardi che ci sento bene. Ha detto che Adoración si dava molto da fare, anche troppo. Cosa voleva dire?»

«La verità? Aveva iniziato ad allargarsi, a prendere un po' troppa c... c... confidenza. Mi sembrava che a casa di mia madre comandasse sempre più lei e anche quando veniva da noi con la bambina aveva un atteggiamento diverso.»

«Ad esempio?»

«Non so, si divertiva a parlare in spagnolo con Gaia come per mettersi in mostra... che poi, dico io, cosa te la tiri che sempre la ta... la ta... la tata fai.»

«Lei ha avuto qualche discussione con Adoración prima di questa sera?»

Damiano restò in silenzio un istante di troppo.

«No. Le solite cose...»

«Cosa intende per solite cose?»

«Come educare la bambina, cosa farle mangiare...»

Al maresciallo tornò immediatamente l'appetito.

«Perché cosa le faceva mangiare?»

«Tutte le specialità p... p... peruviane: *dulce de leche*, *tortillas*...»

Solo a sentire il suono di quelle parole, il maresciallo iniziò a viaggiare con la fantasia.

«E com'è questo *dulce de leche*?»

«Uno spettacolo, marescià. Si ricorda le caramelle mou? Ecco, s'immagini quel sapore ma con tutta la pasta sfoglia intorno. E poi sopra lei ci metteva pure le scaglie di cioccolato amaro che era la morte sua.»

L'ultima espressione riportò il maresciallo alla realtà.

«Quindi, a parte il cibo non avete mai avuto uno screzio.»

«Mai, maresciallo. Sempre tutto benissimo.»

«Ha mai avuto una relazione extraconiugale con Adoración?»

«Maresciallo, ma che domanda è?»

«È una domanda in italiano. O la preferisce in polignanese?»

«No, mai avuta.»

«Perché so che lei non è sempre fedelissimo.»

Clemente guardò Damiano intensamente.

«Be', le persone cambiano.»

«Sì, ma lei con quegli occhi fa sempre danni.»

«Anche lei ha degli occhi bellissimi. Dipende sempre verso che direzione guardano.»

«Risponda alla mia domanda. Quindi con Adoración non c'è mai stato niente?»

«No, glielo giuro su mia figlia.»

«Per dire la verità non bisogna scomodare né i parenti, né il Padre Eterno. Ma lei invece poteva piacere ad Adoración?»

«Ovvio.»

«Mi dica perché lo pensa.»

«Be', sono onesto, maresciallo... io alle donne piaccio. E Adoración un po' me l'ha fatto capire... che poi io con lei un giro me lo sarei pure fatto, visto che tanto mi conosce, ma io non volevo mettermi nei ca... ca... casini perché avevo letto che pure Brad Pitt ha avuto problemi con la baby-sitter quindi me ne sono stato alla larga.»

«Ma Brad Pitt è quello che stava prima con Jennifer Aniston, poi con Angelina Jolie e poi ha buttato tutto all'aria?»

«Esatto, ma ora credo che stia con la vicina di casa che fa la cantante.»

«Ho capito. Quindi, per tornare ad Adoración, diciamo che faceva un po' la gattamorta.»

«Sicuro. E le piacevano i soldi.»

Il maresciallo drizzò subito le orecchie.

«Da cosa lo deduce?»

«Li chiedeva sempre, a volte voleva degli anticipi... diceva che doveva aiutare la sua famiglia. E poi quando usciva si apparecchiava tutta tipo la Madonna del Soccorso... a me dava quell'impressione.»

«Stasera ha notato qualcosa di strano nel suo comportamento?»

«No, perché non la guardavo proprio, mia moglie non sembra ma è sempre molto attenta. Anche se pure Chiara ha i suoi scheletri nell'armadio.»

«Cioè?»

«P... P... Perrucci... il vostro appuntato. Quando si stava per sposare, Chiara gli ha fatto da wedding planner e secondo me ci è scappato qualcosa. Infatti la moglie l'ha lasciato pochi mesi dopo.»

Il maresciallo non conosceva quel fatto, ma sapeva che con uno come Perrucci qualcosa del genere poteva accadere: era oggettivamente bellissimo, e per accorgersene bastava andare a fare un'ispezione con lui.

«Li ha scoperti?»

«Non proprio... non ho voluto. Ne sono quasi certo, ma ormai è cosa pa... pa... passata.»

«Lei, Damiano, dov'era quando hanno sparato i fuochi?»

«Sul terrazzo, sono sempre stato lì.»

«Qualcuno l'ha vista?»

«Boh, non lo so. Quando sparavano era tutto buio e gli ospiti guardavano i fuochi, per cui se uno se ne andava chi se ne accorgeva... poi è saltata la luce alla fine, ma ho avuto la sensazione che sia stato fatto apposta.»

«Perché?»

«Perché è capitato proprio quando è sceso il silenzio e si capiva che i fuochi erano finiti. Se fosse saltata per un blackout magari sarebbe successo già prima, non crede?»

Il maresciallo non sapeva cosa rispondere. La sua mente stava cominciando a rielaborare alcuni pensieri, che andavano molto più veloci di quanto riuscisse a scrivere. Avrebbe tanto voluto essere a casa sua, a piedi nudi, a cantare *Wild Boys*.

# 16

La signora «Lorita Loiacono from Bitonto», come diceva ai turisti stranieri che incontrava, era sull'orlo di una crisi di nervi. Aveva accettato l'invito di Matilde solo per far contenta sua figlia e perché era curiosa di vedere la masseria. Per lei era anche un'occasione per stringere nuove amicizie ed entrare più in confidenza con «quella strana famiglia in cui non si erano fatti mancare niente». Esordì così, davanti ad Agata che la guardava perplessa.

«Se ci pensa, dottoressa, a casa Scagliusi ci stanno persone di tutti i tipi: il pregiudicato, i cornuti, i gay, le lesbiche, pure il prete ci sta. Sembra il "Grande Fratello".»

«Signora, però, prima dei commenti vorrei che lei mi raccontasse un po' di sé.»

«Io comunque non ho fatto niente, dottoressa...»

«Non sono dottoressa ma brigadiera dei carabinieri. E in ogni caso non deve avere alcun timore ma consentire a tutti noi di fare il nostro lavoro. Come si chiama all'anagrafe?»

«Io mi chiamo Loiacono Lorita, sono di Bitonto, ho fatto la ragioneria...»

«Un attimo, signora, una cosa alla volta... come mai da Bitonto è venuta a vivere qui?»

«Perché mio marito è rappresentante per tutto il Meridione e parte dell'Italia centrale di un'azienda di malte cementizie qui di Polignano.»

«Cosa intende per parte dell'Italia centrale?»

«L'Abruzzo.»

«E basta?»

«Sì. Ma dire solo l'Abruzzo pareva brutto.»

«Lei, signora, ci tiene molto alle apparenze?»

Lorita Loiacono ci pensò un attimo.

«Sì. Sa, io non sono di Polignano, qui sembra che tutti facciano mille cose, abbiano tante proprietà... e la villa alla campagna... e la villa al mare... anche gli ultimi scappati di casa come Dora e Modesto hanno un trullo, e noi? Siamo in affitto e i nostri vicini sono pieni di soldi e nostra figlia sta sempre a vedere quello che ha Gaia, e più ha e più le comprano... non è facile.»

«Lei cosa fa nella vita?»

«In che senso?»

«Che mestiere fa?»

«E cosa devo fare? Sto a casa. Cucino, pulisco, non c'è niente di male visto che mio marito è sempre via per lavoro.»

«Quindi siete venuti qui per questo.»

«In realtà mio marito poteva anche spostarsi ogni giorno da Bitonto, ma avevamo bisticciato con mia sorella e mio cognato... e così ne abbiamo approfittato e ci siamo trasferiti.»

«E come mai avevate bisticciato?»

«Perché non ci hanno scelto come testimoni di nozze. Ma come? Io avevo chiamato lei a farmi da testimone e lei chi chiama? La cugina di Milano. Per me è stato proprio un affronto, i bitontini ancora ci ridono dietro quando torniamo. Lei ha detto che voleva fare qualcosa di diverso... e io mi sono offesa.»

«E poi è andata al matrimonio?»

Agata faceva fatica ad ammetterlo, ma amava queste storie. Sarebbe stata ore ad ascoltarle, e le sarebbe piaciuto esprimere la sua opinione.

«Sì, alla fine sono andata, altrimenti mia madre faceva una tragedia... le abbiamo pure regalato la lavatrice.»

«Ma anche asciugatrice?»

«Certo, così non potevano dirci niente. Ma ormai il guaio lo avevano combinato e alla fine abbiamo litigato.»

«E ora non vi parlate più?»

«Solo se ci sono i nostri genitori. Quando ci sono cose di famiglia facciamo finta di parlarci altrimenti i parenti chi li sente. Ma le sembra che fai fare la testimone alla cugina anziché alla sorella? A lei, brigadiera, chi le ha fatto da testimone di nozze?»

«Signora, le domande le faccio io a lei... e comunque non sono ancora sposata.»

«Uh, mi spiace. È single?»

«Signora Loiacono, per favore. In questo momento sta rispondendo a un pubblico ufficiale, quindi la prego di tenere un comportamento adeguato.»

La signora fece una strana espressione, ma afferrò il concetto, o almeno ci provò.

«Mi scusi. Non è che volevo essere offensiva o che, ma sa... mi sembra strano che una bella donna come lei non sia ancora sposata, tutto qui. Poi amo i suoi ricci.»

«Io cambierei argomento.»

«Visto che non ne vuole parlare, rispetto la sua scelta. Io mi sono trovata in questa situazione solo per accontentare mia figlia e ora rischia che la voce arrivi fino a Bitonto e mia sorella dica che frequento gli ambienti della malavita... e quella di sicuro lo pensa.»

Agata cercò di riportare la conversazione su un altro piano, anche se per lei era molto utile inquadrare le persone lasciando che esprimessero liberamente i loro sentimenti.

«Signora, mi racconti un po' le sue giornate.»

«Be', non mi annoio, come canta Jovanotti. Mi occupo di mia figlia e della casa, naturalmente. Deve vedere come la pulisco, grazie al Dyson che mi sono comprata si può mangiare sui pavimenti. Che poi, se lavori, vedi cosa succede... tipo a Chiara e Damiano che all'inizio avevano la tata, sempre sta peruviana dietro la bambina e poi sono nei guai. Ma io a mia figlia l'avevo avvisata di non dare troppa confidenza... eh, glielo devo dire, a me lei non è mai piaciuta.»

«Scusi... e perché?»

Lorita non sapeva se fosse o meno il caso di parlare ma alla fine si decise.

«Le devo dire la verità... una volta che stavo a casa e non sapevo cosa fare, mi sono messa al balcone a sentire quello che succedeva dai miei vicini...»

«Per passare il tempo?»

«Eh, sì. In televisione danno sempre le stesse cose. A volte mi metto proprio a sentire i discorsi degli altri che poi sono i genitori di Gaia, Chiara e Damiano...»

La brigadiera la lasciava parlare invitandola ad andare avanti senza remore.

«E cos'ha sentito?»

«Una volta ho sentito Adoración che diceva: "guarda che se io parlo succede un casino, quindi"...»

«E a chi lo diceva?»

«A Damiano.»

«E lui cos'ha risposto?»

«Lui ha detto qualcosa tipo: "ma cosa dici? Vieni qui dài, parliamone"... ma poi ho smesso di ascoltare perché comunque non è bello spiare la gente.»

«Ma secondo lei tra i due c'era una relazione?»

«Questo lo sta dicendo lei!»

«Signora, non sto dicendo nulla, le ho fatto una domanda. Secondo lei tra Adoración e Damiano Scagliusi ci poteva essere una relazione che andava al di là del rapporto di lavoro?»

Lorita capì che finalmente poteva avere il suo momento.

«Secondo me sì, perché lei era sempre un po' provocante. A volte, quando mia figlia voleva far vedere qualcosa a Gaia, venivano qui.»

«E Adoración cosa faceva?»

«Niente. Le lasciava giocare e stava al telefono... aveva sempre qualche discussione con qualcuno.»

«Discussioni di che tipo?»

«Non mi ricordo perché io avevo le mie cose da fare, ma nominava sempre la sua famiglia in Perù che aveva bisogno di lei, insomma, mi sembrava una un po' incazzata con tutti però in apparenza faceva sempre il sorrisino... e poi vedi com'è finita.»

«Mi sta dicendo che secondo lei ha commesso qualche errore?»

«Non lo so, ma alla fine sono questi i fatti.»

La brigadiera digitava sempre più velocemente, e quando meno Lorita se l'aspettava la inchiodò con una domanda diretta.

«Lei dov'era quando hanno sparato i fuochi d'artificio?»

La signora Loiacono rimase un attimo imbambolata.

«Be', dov'ero? Fuori... come tutti. A vedere le patate viola!»

«Ha visto se qualcuno si è allontanato durante gli spari o tra una sessione e l'altra?»

«Mi faccia pensare... sì. Ninella mi ricordo che se n'è andata e pure Franco e il marito di Dora, un tipo strano, lei invece parla sempre. Poi... Orlando e Daniela se ne sono andati via prima ancora e poi chi si ricorda, non lo so.»

«E lei non si è allontanata?»

«Io no.»

«È rimasta sempre al suo posto?»

«A dire la verità durante l'intervallo, dopo i primi fuochi, sono andata a prendere un bicchiere di champagne. E ricordo che c'erano anche Chiara e Damiano.»

«E c'è stato qualcuno che secondo lei aveva un comportamento particolare?»

«Be', Franco, il fratello di Ninella, sempre che si muoveva... sembra uno di quegli animali della savana e anche Modesto si asciugava il sudore con il fazzoletto. E a me non è piaciuta neanche Matilde, se gliela devo dire tutta.»

«In che senso?»

«Non lo so, ho avuto la sensazione che spiasse un po' Adoración, le stava sempre con gli occhi addosso.»

«Ma scusi, lei ha passato la serata a osservare le persone?»

«Eh, sì, dottoressa, mi scusi... brigadiere, anzi brigadiera! Non mi cagava nessuno, e allora quando non ti caga nessuno in qualche modo devi passare il tempo.»

«Ma neanche con la sua vicina Chiara ha scambiato qualche chiacchiera?»

«Sì, sì, abbiamo parlato dei panzerotti che a Bitonto li facciamo con la patata mentre loro li fanno senza.»

Agata sarebbe voluta intervenire con la ricetta salentina ma pensò che non fosse proprio il caso.

«E a parte i panzerotti non vi siete dette altro?»

«No, no... avevo paura che mi chiedesse qualcosa del marito e allora ho preferito stare zitta. E alla fine ho fatto bene.»

Prima di terminare il verbale, Agata guardò l'ora. Si erano già fatte le due di notte.

## 17

Pasqualino Frattarulo era stravolto, un po' per l'attesa e poi per il fatto che improvvisamente non si sentiva più padrone di un posto che ormai considerava suo, anche se la masseria era di Matilde e lui ci viveva da pochi mesi. Ma quando non possiedi niente, ti affezioni subito a tutto.

Il maresciallo Clemente era curioso di conoscerlo, perché ne aveva sentito tanto parlare come di «quello che ha fatto cornuto Mimì Scagliusi», e se vivi lontano dal tuo paese il pettegolezzo diventa il cordone ombelicale che ti tiene collegato alle origini. Per chi c'era nato, Polignano era e restava una grande casa.

«Pasqualino, lei che studi ha fatto?»

«Le medie. Ma la campagna è stata la mia vera scuola di vita, anche se noi eravamo tra i pochi polignanesi a non avere nemmeno un pezzo di terra. Forse per questo sono diventato così bravo a coltivarla e a capirla, lei sa cosa voglio dire... la terra la devi saper prendere, soprattutto questa della nostra zona. È dura e difficile, ma se ci sai fare ti tira fuori le carote viola e le patate più buone d'Italia.»

«Ma mi racconti un po' come ci è finito lei nella famiglia Scagliusi.»

«Marescià... io lo so dove vuole arrivare, ma sinceramente mi sento la coscienza a posto.»

«Non siamo qui a giudicarla, ma a capire come stanno i fatti. Mi dica come ha cominciato a frequentare questa famiglia.»

«Come garzone... anche se io e don Mimì siamo quasi coetanei, lui è sempre stato il mio capo e i suoi figli mi comandavano. E pure Maty mi comandava.»

«Chi è Maty?»

«Matilde Scagliusi. La mia donna. La padrona di casa.»

Il maresciallo, davanti alle indiscrezioni, si eccitava come una vecchia comare anche se cercava di rimanere serio.

«Lei quindi, se mi conferma, lavorava per la Scagliusi & Figli. Con quale mansione?»

«Tutto. Facevo tutto. In campagna li aiutavo a gestire i turni dei dipendenti e poi curavo la casa di Polignano, quella che chiamano "il Petruzzelli" perché da fuori è rossa come il teatro di Bari. La spesa, i rubinetti che perdevano, se cadeva l'intonaco o se c'era qualcuno da andare a prendere da qualche parte, io ero a disposizione anche quando non c'era niente da fare perché Maty mi trovava sempre qualcosa da aggiustare.»

«E com'è che vi siete innamorati?»

Pasqualino era contento che il maresciallo avesse usato proprio quell'espressione.

«Com'è, marescià... sa come sono le femmine quando si mettono in testa una cosa. Lei mi voleva, io lo capivo che mi voleva e poi Mimì non se la filava proprio, questo va detto... infatti poi si è messo subito con Ninella.»

«E lei da cos'era attratto?»

«Da tutto. Da lei, che è comunque una bella donna, ben tenuta... e poi, *uagliò*, io volevo anche fare un po' la bella vita dopo tanti anni di sacrifici, ma non è che me ne volessi approfittare... che non sono quel tipo di persona, però come tutti valuto.»

«Quindi diciamo che non è innamorato solo di Matilde ma di tutta la situazione.»

«Devo ammettere di sì, basta vedere questa masseria. Anche se poi io non le faccio mancare mai niente.»

Al maresciallo vennero in mente le voci che aveva sentito su di lui sulle chat dei gruppi di Polignano, ma evitò di dirlo. Pasqualino gli faceva simpatia, infatti non riusciva a essere incalzante come al solito con le domande.

«Lei che rapporti ha con don Mimì?»

«Di rispetto, anche se credo che all'inizio lui mi abbia patito perché l'ho fatto passare per il cornuto del paese.»

«Be', questo è vero.»

Il maresciallo cercò subito di rimediare.

«Nel senso... che può essere comprensibile che lui si sia arrabbiato.»

«Eh, sì, e pure i figli. Deve vedere la faccia che hanno fatto quando ho traslocato nella casa di Polignano, e gli ho chiesto di aiutarmi a portare su le valigie. Quanto ho goduto! Ora però credo che mi vogliano bene, anche se l'azienda non sta andando più come un tempo. Hanno venduto dei terreni. Diciamo che da quando gestiscono le cose loro sono meno bravi di quando c'ero io, ma non mi posso intromettere anche se Maty è preoccupata perché poi la gente dice in giro che non hanno più soldi. E a Polignano l'immagine è tutto.»

Al maresciallo iniziava a frullare qualcosa per la testa.

«A lei piaceva Adoración?»

Pasqualino restò spiazzato e quasi iniziò a balbettare picchiettando nervosamente le dita sul tavolo.

«Mah... così, per scherzare, nel senso che la vedevo che mi girava intorno, ma credo che lo facesse solo per ottenere qualcosa.»

«Cosa vuole dire?»

«Be', sa quel tipo di donna che un po' te la fanno credere, ma vogliono solo che ci caschi e magari spillarti dei soldi?»

«Certo. Ma perché lei dice questo? Adoración le aveva chiesto qualcosa?»

«Non proprio. Matilde si fidava ciecamente di lei, ma quando non la guardava Adoración mi faceva sempre delle espressioni particolari.»

«Tipo delle avances?»

Il maresciallo Clemente restava un uomo d'altri tempi.

«Sì, chiamiamole così.»

«E lei ha mai ceduto?»

Pasqualino si guardò intorno e fece cenno al maresciallo di abbassare il tono della voce. Ma continuava a non rispondere.

«Pasqualino, la prego... si deve fidare di me. Io sono di Polignano.»

Le parole magiche.

«Sì, maresciallo, glielo devo dire: una volta ho ceduto come un vecchio bastardo qualunque.»

«Non dica così. Dove siete andati?»

«Qui... lei voleva farlo in cucina, sulla penisola... proprio qui nella stanza di fianco.»

«La penisola snack?»

«Noi abbiamo la penisola iberica perché è uguale a quella di Felipe di Spagna.»

«E Matilde dov'era?»

«Da Lucia Coiffeur. Quando va dal parrucchiere torna dopo tre ore che si fa la tinta e *tutt i at caus...* per cui stavamo tranquilli ma è successo solo una volta e poi basta.»

«Perché?»

«Ho capito che lei voleva altro, non so... mi chiedeva se la masseria era intestata anche a me, domande così.»

«E lei ha delle case intestate?»

«Io ho solo debiti, maresciallo.»

«E come fa con le spese?»

«Matilde mi ha aperto un conto e mi passa duemila euro al mese, che è un bello stipendio. Poi io faccio pure dei lavoretti in giro, che altrimenti poi sparlano che faccio il mantenuto e vado avanti così.»

«Quindi lei nutriva un po' di rancore nei confronti di Adoración.»

Pasqualino sbiancò.

«No, io proprio no.»

«Le ha mai chiesto dei soldi?»

«Solo una volta un anticipo sullo stipendio.»

«Ma non aveva uno stipendio regolare?»

«Certo. Ma lei mandava sempre i soldi alla famiglia in Perù, e pure a una cugina a Sammichele di Bari, che aiutava.»

«Che buona la zampina che fanno là. A Bologna un collega se la faceva mandare tutti i mesi.»

Il maresciallo, anche durante l'interrogatorio, non si scordava del cibo.

«Anche a me piace assai.»

«Lei dov'era durante i fuochi?»

«Io stavo alla consolle, maresciallo... sono quasi sempre stato in terrazza.»

«Ma sbaglio o a un certo punto qualcosa si è inceppato?»

«Sì, è vero, e sono sceso giù a controllare i fili e poi la macchina è ripartita, ma anziché i cuori sono venute fuori delle pere... o delle patate... non so, ognuno ci vedeva delle forme diverse, ma nessuno i cuori. Comunque non sono stato io.»

«Non è stato lei a fare cosa?»

«Ad ammazzarla con l'angioletto.»

«Come fa a sapere che è stato il soprammobile ad ammazzare Adoración?»

«Be', era di fianco al suo corpo. L'ho visto. Era evidente che qualcuno gliel'avesse tirato in testa... ma non sono stato io.»

Pasqualino si rese conto che quella conversazione stava prendendo una brutta piega, e continuò a ticchettare con le dita sul tavolo. Il maresciallo ne approfittò per offrirgli un bicchiere d'acqua. Dopo qualche altra domanda, gli fece firmare il verbale e lo lasciò andare.

## 18

La povera Ludmilla entrò in cucina con l'aria più triste del solito. Quello era stato il suo nuovo regno negli ultimi giorni, quando Adoración l'aveva convinta ad andare due volte a settimana da Matilde trascurando don Mimì che per primo l'aveva scelta e le aveva dato fiducia.

«Da quanto tempo vive in Italia, signora Ludmilla?»

«Io da tre anni, signora. Prima tanti anni in Bielorussia e poi venire qui per fare badante e Franco mi ha trovato lavoro da don Mimì.»

«Per don Mimì intende Domenico Scagliusi che era presente stasera?»

«Sì signora polizia.»

«Veramente io sono una brigadiera dell'arma dei carabinieri.»

«Mi scusi, carabiniera.»

Agata lasciò correre.

«Mi racconti bene com'è finita qui a Polignano.»

«Tutto merito di mia amica Svetlana che si è sposata uno ricco ma brutto che la mantiene. Lei mi ha detto di venire qui perché pieno di vecchi che hanno bisogno e non ci sono persone che hanno voglia di sporcarsi le mani, qui tutti reddito di cittadinanza... beati loro ma io vengo da Bielorussia non è possibile. Lei sposata signora?»

«No, ma non è importante. Quando è arrivata ha trovato subito lavoro?»

«Sì, perché Franco ha agenzia di badanti qui a Polignano e mi ha detto che don Mimì voleva donna pulizie che cucina... le cose che uomini pugliesi non sanno fare, sanno solo mangiare e stare seduti.»

Ad Agata veniva da ridere, ma non poteva, e cercava di rimanere concentrata su quello che stava scrivendo. Un messaggio di Gianpiero sul telefono però la interruppe e le venne la curiosità di leggerlo: "Io mi sto per addormentare...".

Ludmilla emise un colpo di tosse e Agata tornò al suo interrogatorio senza rispondere.

«E con don Mimì andava d'accordo?»

«Sì, brava persona, gli ho insegnato a fare uovo sodo. Ora lui capace. Quando fa uovo sodo sembra un bambino.»

«Come mai oggi si trovava qui?»

Ludmilla emise un lungo sospiro.

«Perché Adoración voleva che io lavoravo sempre qui con lei perché non riusciva a seguire la casa, la bambina e la cucina e aveva detto a signora Matilde che io ero la persona giusta.»

«Quindi di fatto aveva iniziato a lavorare regolarmente in questa masseria?»

«Io non volevo perché don Mimì era ex marito di signora Matilde e tra moglie e marito non bisogna mettere... cosa non bisogna mettere? Non mi ricordo mai.»

«Il dito. Non si mette il dito. Però poi alla fine ha accettato.»

«Sì e don Mimì l'altro giorno mi ha chiamato tutto arrabbiato. Mi ha urlato come fanno i pazzi.»

«E lei?»

«Io ho ascoltato e gli ho risposto che volevo fare carriera.»

«E lui?»

«Ha detto "te la faccio vedere io la carriera a te e a quell'altra". Ma Adoración mi ha detto che qui mi pagavano di più e che in poco tempo avrei guadagnato anche soldi extra perché dice che signora spendeva tanto e lei ogni tanto si teneva qualcosa. Così mi ha fatto capire.»

«Ah. Quindi Adoración non era proprio una ragazza onesta.»

«Occasione fa donna ladra signora.»

Ludmilla amava follemente i proverbi.

«Quindi non era onesta.»

«Era onesta con chi diceva lei. Con me era brava anche perché a noi di Bielorussia ci freghi su tutto ma non ci toccare i soldi. E anche se dividevo casa con lei tenevo tutto chiuso a chiave. Io ho sempre lavorato senza mai rompere le palle, si può dire "rompere le palle" anche se signora non ha le palle?»

«A me interessa il senso, e il senso mi è chiaro. Ma mi dica, com'era la casa dove vivevate?»

«In realtà era appartamento di signora Labbate e in cambio facevamo pulizie per il bed and breakfast.»

«E ha mai avuto visite strane in casa?»

«No, carabiniera. Adoración si faceva molto i fatti suoi: mogli e buoi dei paesi tuoi.»

«Ma cosa c'entra? Si è sposata?»

«No, volevo dire che lei uguale ai polignanesi: non dava confidenza.»

«Che lei sappia, Adoración aveva una relazione con qualcuno?»

«Non lo so, ma io credo che lei aveva più di un uomo.»

«Perché dice così?»

«Perché diceva che gli uomini italiani un po' fessi e quindi stava cercando quello che la poteva mantenere. Diceva sempre: trovi ricco, o lo sposi o ci fai un figlio.»

«E secondo lei Adoración lo aveva trovato uno ricco?»

«Occhio non vede cuore non duole.»

«Non capisco cosa voglia dire.»

«Che lo stava cercando, certo.»

Ogni tanto Ludmilla sbagliava il significato del proverbio, ma Agata non aveva voglia di discutere. Intanto Gianpiero, anziché dormire, le aveva mandato una foto con una fetta di pane e una scatoletta di tonno: "Fame notturna. Ti rendi conto di che ore sono?".

«Qualcuno lo aveva già trovato?»

«Secondo me si vedeva con Pasqualino.»

«Il compagno di Matilde?»

«Sì.»

«Perché?»

«Perché stasera a un certo punto... dopo che signore Pasqualino mi ha chiesto una cosa lei mi ha detto: guarda che prima di te ci sono io. Ma io non stavo facendo niente signora. A me non piacciono uomini bassi: altezza mezza bellezza.»

«E ha notato se qualcun altro la guardava?»

«A parte Orlando, che gli piacciono i maschi, tutti la guardavano! E il signor Modesto a un certo punto ho visto che la fissava.»

«Signora Ludmilla, lei ha trovato il corpo di Adoración... giusto?»

«Sì, carabiniera. È stato brutto.»

«Cosa ricorda?»

Ludmilla chiuse gli occhi e non si capiva se fosse uno sforzo di concentrazione o un modo per trattenere le lacrime. Poi riprese a parlare.

«Lei era sdraiata e vicino c'era l'angioletto... Io ho pensato che lei caduta mentre andava a prendere la torta.»

«Lei dov'era durante i fuochi?»

«Io i primi fuochi sono rimasta fuori a guardarli perché Matilde ci aveva detto che voleva il pubblico, poi quando hanno finito sono rientrata in casa perché c'era la pausa... e io dovevo sorvegliare il Bimby.»

«Ma perché, lo usate di continuo?»

«Sì sempre. Chi si ferma è perduto.»

«E Adoración dov'era?»

«Lei era in giro, mentre io stavo quasi sempre in cucina... lei aveva libertà di movimento.»

«Ha visto qualcuno che si spostava durante l'intervallo?»

«Sì, la signora Ninella è passata davanti alla finestra. Lei signora molto strana.»

«Perché?»

«Lei donna indipendente.»

«E poi cosa ricorda?»

«Poi hanno ripreso i fuochi e Matilde si è messa a gridare FUOCHI! FUOCHI!» E così siamo andati di nuovo tutti fuori.»

«Quindi ha lasciato la cucina. Ha visto se nel salone c'era ancora qualcuno?»

«Non mi sembra, ma lì avevano spento le luci...»

«La porta del salottino degli angeli era aperta o chiusa?»

«Era chiusa.»

«Quindi Adoración poteva essersi chiusa con qualcuno.»

«Esatto, e con i rumori non si sentiva niente. Però poi alla fine è saltata la corrente.»

«Secondo lei è stata una cosa normale?»

«No, signora. Qualcuno ha fatto qualcosa. E poi... devo dirle una cosa ma ho paura...»

«Stia tranquilla, Ludmilla. Chi va piano va sano e va lontano.»

Agata cercò di adeguarsi al suo linguaggio per farla parlare.

«A un certo punto volevo fare una chiamata al mio compagno, ma non c'era campo e il wi-fi non prendeva bene, così mi sono spostata... e lì ho visto uno con il cappello a visiera... un uomo che scappava tutto vestito di nero.»

«Ma dove???»

«Sul balcone... vicino alla camera da letto di signora Matilde. Ma forse me lo sono sognato.»

«Secondo lei era stato nel salottino?»

«Non lo so, ma io non sono stata, carabiniera. Io sono una brava persona, io non rubo né i mariti né i soldi.»

Agata trattenne un attimo il fiato e disse: «Io comunque sono una brigadiera».

## 19

Il maresciallo Clemente aveva deciso di sentire per ultimo Franco Torres, perché voleva che arrivasse il più stanco possibile. Chi ha già qualche precedente penale è tenuto particolarmente d'occhio e un'attesa più lunga aiuta a far emergere la verità e qualche contraddizione.

Franco appariva sereno e tranquillo. Non era altissimo ma aveva una corporatura solida, uno di quelli con la pancia dura e la faccia tosta.

«Venga, Torres, si sieda, e perdoni l'attesa ma come ha visto eravate tanti e abbiamo dovuto ascoltare tutti.»

«Nessun problema. Come sicuramente saprà, sono stato interrogato molte volte nella vita... ma alla fine ne sono sempre uscito. A volte pagando un prezzo fin troppo alto.»

«Però andrei con calma, Franco. Prima mi racconti com'era da bambino. Era bravo, era discolo?»

«Ero ciccionissimo. Sa di quei bambini che te li vorresti mangiare? Mi diceva mia madre che tutti mi volevano toccare le cosce da quanto erano grasse... davano soddisfazione e, come vede, l'appetito continua a non mancarmi.»

«E sua sorella invece?»

«Ninella è sempre stata la ragazza più bella di Polignano. Ma la vede com'è ancora adesso? Quando entra in un posto si girano pure le mattonelle.»

«È vero, è vero. È meravigliosa.»

Il maresciallo non era riuscito a trattenersi. Per fortuna venne interrotto dall'appuntato Perrucci, che lo fece uscire un attimo dalla stanza per comunicargli una notizia importante.

«Maresciallo, le telecamere hanno inquadrato un individuo che è entrato nella masseria ed è uscito dopo pochi minuti di corsa... era vestito di nero e aveva un cappellino in testa. Appena abbiamo le immagini più definite possiamo diffonderle e vedere se altre telecamere in funzione a Polignano lo hanno registrato.»

«Ottimo, Perrucci, ottimo. Allora aveva ragione la De Razza, che mi ha bussato per dirmelo: è l'uomo di cui le ha parlato Ludmilla. Avvisala subito che ancora si offende se non la informiamo.»

Il maresciallo rientrò nella stanza più sollevato: l'idea che un estraneo si fosse introdotto nella masseria alleggeriva i sospetti sui presenti e gli dava finalmente un'ipotesi cui attaccarsi.

«Dicevamo?»

«Parlavamo di mia sorella, che piace a tutti...»

«È vero sicuramente, ma ci racconti di lei. Che ragazzo è stato?»

«Il classico coglione. Quello che per farsi vedere si mette nei guai... forse sono un insicuro, non lo so, ma mi sono sempre comportato così. Anche quando giocavo a poker, volevo sempre vincere con le buone o con le cattive. Ma se mi rendevo conto che stavo perdendo, era troppo tardi.»

«In che senso?»

«A poker c'è sempre un pollo da spennare. Uno che vuole vincere ad ogni costo è una manna per tutti. Ma quando non riesci a capire chi è il pollo, il pollo sei tu.»

Clemente era sempre stato affascinato da quel gioco, ma non aveva mai voluto rischiare.

«E con le donne che rapporto ha?»

«Sono il mio punto debole, perché mi piacciono tutte. Io amo il sesso e a loro piaccio perché le faccio divertire senza giudicarle. Un mezzo delinquente è sempre un sogno erotico per una donna. Poi a me non piacciono le bellone ma le bruttine perché a letto sono meno concentrate su se stesse.»

«Davvero?»

«Sì, lo dice anche Rocco Siffredi.»

«Ora è fidanzato?»

«No, ma continuo a divertirmi, soprattutto con le badanti... essendo straniere, si fanno meno problemi, si divertono di più e non si aspettano niente. Anche se forse dovrei iniziare a pensare di mettere su famiglia.»

«Come mai ha avuto tanti problemi con la legge?»

«Mettermi nei guai è più forte di me. In realtà l'unica vera condanna l'ho avuta per contrabbando, ma ero un ragazzino e a Polignano con le sigarette ci sono campate un sacco di persone che ora hanno i soldi e fanno pure la morale a quelli come me.»

«Ad esempio?»

«Basta che si guardi intorno. Tutti questi che si sono fatti case, attività, macchinoni, amanti... da dove crede che abbiano tirato fuori i contanti? Dal salvadanaio della nonna?»

Clemente era sorpreso dalla schiettezza con cui Franco Torres diceva le cose.

«E invece stasera, com'è arrivato qui?»

«Ninella, sempre lei. Era infastidita che non mi avessero invitato perché sono pur sempre suo fratello anche se non sono irreprensibile. Però doveva vedere la faccia di Matilde quando mi ha visto qui... ancora un po' sveniva.»

«Perché?»

«Uno che ha la fedina penale sporca in casa sua le rovina la reputazione, e mia sorella lo sa. Le dà ai nervi, e per questo mi ha portato... anche se forse mi sarei risparmiato sto guaio.»

«Che idea si è fatto di quello che è successo?»

«Adoración deve aver fatto un casino e qualcuno gliel'ha fatta pagare.»

«In che senso?»

«Be', lei era una intraprendente, da tutti i punti di vista... voleva far soldi, e quando è così per forza ti vai a intromettere in faccende delicate, e in questo Polignano è piena di segreti: soldi non dichiarati, tradimenti, liti familiari per un pezzo di terreno... di sicuro lei si sarà intromessa in qualche questione.»

«Veramente le telecamere hanno inquadrato un uomo che si introduceva dall'esterno, estraneo alla famiglia.»

«Ah, non lo sapevo.»

«Glielo sto dicendo adesso. Ne sa qualcosa?»

«Non so di cosa stia parlando.»

«E stasera ha notato qualcosa di strano?»

«Sì, che quasi tutti mi guardavano male, ma ormai ci sono abituato. Per il resto, ho notato che hanno buttato un sacco di soldi in questa masseria e alla fine è venuta una mezza pacchianata.»

«Lei stasera è sempre stato in terrazza a vedere i fuochi?»

«Sì. Ho solo fatto una sosta in bagno quando ho visto che non partivano.»

«E poi è tornato a vederli?»

«Certo, subito.»

«Ha visto se qualcun altro si è spostato?»

«Lo zio Modesto, perché quando sono uscito mi aspettava fuori dal bagno.»

«Ha notato qualcosa di strano in lui?»

«Mmmh, no. È il tipico marito in balia della moglie.»

«Altri movimenti strani?»

«Maresciallo, io non ci trovo nulla di strano che la gente si muova. Ci sta. Era la festa di una bambina organizzata per far vedere la masseria della nonna... le persone dopo un po' si rompono, fanno un giro o si prendono qualcosa da bere.»

«Però questa volta è successo qualcosa di molto più grave.»

«Eh, sì, ma le posso garantire di non essere stato io.»

«Perché dovrei crederle?»

«Perché non ho niente da perdere. Ci sta che sospettiate un pregiudicato, ma amo troppo la vita per rovinarmela con uno scatto d'ira.»

«Chi le dice che sia stato uno scatto d'ira?»

«È evidente. La casa era piena di gente e se qualcuno avesse voluto far fuori Adoración c'erano mille modi per avvicinarla. Non ha le bodyguard come Ronaldo. Quindi, di sicuro, chi l'ha colpita ci ha pensato all'ultimo minuto... e lei deve avergli detto qualcosa.»

Il maresciallo Clemente ascoltava con grande attenzione. Se non avesse preso un'altra strada, Franco Torres avrebbe potuto essere un buon investigatore. Ma aveva scelto di stare dal lato sbagliato della legge, anche se mai come in quella notte agli occhi di Clemente era sembrato un uomo onesto.

## 20

Matilde entrò nella sua cucina come un'ospite, e questo la mortificava.

Tutto ciò che aveva faticosamente scelto – i mobili, l'archistar di Castellana, il decoratore specializzato, la penisola iberica – sembrava non fosse servito a nulla. Mezza Puglia si era mobilitata perché quella splendida masseria diventasse un luogo non solo confortevole ma anche che raccontasse, come gli aveva detto l'architetto, «la nuova Matilde».

Agata si era fatta un'idea di chi aveva di fronte osservando quella casa, che trasudava un po' di arroganza e un pizzico di insicurezza. Chi metterebbe un proprio ritratto gigantesco con cornice neoclassica nel salotto?

Ma Matilde teneva tantissimo a quell'opera di un artista leccese, e poi così aiutava anche i nuovi talenti: si sentiva un po' la mecenate del Barese.

«Ho visto che c'è un grande quadro che la rappresenta in salotto...»

«Le piace? Me lo sono regalata per il compleanno.»

«Ha fatto bene... bisogna sempre gratificarsi. Dove l'ha preso?»

«Ho conosciuto questo madonnaro a Monopoli, poi l'ho raggiunto a Lecce, gli ho dato delle mie fotografie e mi sono fatta fare questo ritratto. Sa, noi arricchiti siamo un po' megalomani ma ci piace fare del bene.»

Matilde si sforzava di mostrare una nuova umanità, anche se difficilmente lasciava le sue parole al caso.

«Brigadiera, ma non è che poi mi ritrovo quelli del telegiornale?»

Agata provò quasi un'emozione di fronte a qualcuno che riconoscesse il suo ruolo e la chiamasse con il nome appropriato.

«Lei adesso pensi solo a raccontarmi qualcosa di sé.»

«Cosa vuole che le dica? Sono stata per tanti anni una donna infelice... credo anche cattiva. Ero la seconda scelta di mio marito Mimì, che non mi ha mai amata davvero, e questo mi ha un po' condizionata. Lui ha sempre avuto occhi solo per Ninella, che sicuramente avrà fatto la vittima con lei... la cui figlia poi ha sposato mio figlio Damiano e al loro matrimonio me li sono visti ballare come due innamorati davanti a tutti. Si rende conto? C'è chi non si sarebbe più ripresa, ma io sì. Dopo anni ho trovato la forza di lasciarlo grazie a un uomo che mi vuole bene anche se resta sempre un uomo... e gli uomini non cambiano, come canta Marco Masini.»

«Ma non era Mia Martini?»

«Sì, ma poi una volta l'ha cantata Marco Masini. Lo so perché sono iscritta al suo fan club dai tempi di *Disperato*.»

«Ah, non lo sapevo... in che senso mi dice che gli uomini non cambiano?»

«Perché gli uomini se gli passa davanti una bella ragazza non si tirano indietro.»

«A chi si riferisce?»

«Ad Adoración. Anche se era diventata indispensabile per questa masseria, secondo me aveva puntato Pasqualino o non so se era lui che l'aveva puntata, ma sicuro qualcosa c'era, glielo dico prima che lo scopra lei.»

«Lei li ha mai visti insieme?»

«No, per fortuna. Ma una volta ho letto un messaggio che lei gli aveva mandato in cui diceva: "io mi libero domani dopo le 14".»

«E da questo lei ha dedotto che avessero una relazione?»

«Mi dica un po' lei se non è una prova... anche se lui ha giurato e spergiurato che voleva farmi un regalo a sorpresa e lei lo avrebbe aiutato, ma sa quando qualcosa non la convince?»

«Immagino. E ha scoperto altre cose?»

«No, solo questo, ma il dubbio mi arrovella anche se poi davanti a questa disgrazia tutto si ridimensiona. Ma proprio a casa mia doveva succedere?»

«Signora, lei pensa che Adoración sia caduta?»

«Sicuro che è caduta. Qui siamo tutte brave persone... più o meno oneste.»

«Chi è meno onesto secondo lei?»

«Be', di sicuro Franco ha già avuto problemi con la giustizia e non l'avevo neanche invitato, ma Ninella ci ha voluto fare questa bella sorpresa e guardi come siamo finiti.»

«Lei pensa che Franco sia coinvolto nella morte di Adoración?»

«Non sto dicendo questo, ma io ho fatto un sacco di cene e di feste e non è mai capitato nulla... una volta che viene lui ci scappa il morto. Ma le pare? Proprio qui! La casa degli spiriti è diventata, ci manca solo Meryl Streep. Sembra una maledizione... non riusciremo neanche a venderla perché diranno che ci sta il malocchio come sulle navi.»

«Come aveva trovato Adoración?»

«È stato un consiglio di padre Gianni. Noi siamo sempre stati praticanti e abbiamo cercato di fare del bene. Chi ha di più deve dare di più.»

«E qual era la sua mansione?»

«Tutto è iniziato perché volevamo una tata straniera per la bambina.»

«Perché straniera?»

«Tutte le famiglie di un certo livello prendono una tata straniera così la bambina cresce plurilingue. Io l'ho scelta peruviana perché a me è sempre piaciuto lo spagnolo, anche se da quelle parti non hanno mai voglia di lavorare.»

«Anche Adoración era così?»

Matilde ci pensò un attimo.

«Lei era un'eccezione. E comunque, se volevi che desse il meglio dovevi chiederle di fare i piatti della cucina peruviana... e con quelli ci ha conquistato tutti. Da lì abbiamo iniziato a impiegarla anche come cuoca e poi come governante della masseria. Sapeva preparare le cose anche con il Bimby, uno spettacolo. E poi la nostra bambina l'adorava, anche se ho avuto la netta sensazione che ultimamente mi facesse la cresta sulla spesa.»

«E lei non ha protestato?»

«Brigadiera, fa parte del pacchetto della beneficenza, non è che mi vado a inimicare il prete che ancora poi mi sparlano alle spalle, dopo tutto quello che hanno detto su di me.»

«Quindi di Adoración non si fidava del tutto?»

«No, no, mi fidavo. Bisogna sempre fidarsi delle cameriere, altrimenti le cambi.»

«Avete mai avuto qualche screzio?»

«Io sono una buona cristiana, non ce l'ho con nessuno. Certo, morire proprio a casa mia durante il compleanno della bambina... capisce che solo per questo io non posso averla spinta.»

«Allora pensa che qualcuno potrebbe averle fatto del male volontariamente?»

«Brigadiera, non sono scema... mi pare chiaro dalle sue domande che lei sia convinta di questo, ma io sono in una botte di ferro.»

«Nessuno la sta accusando. Le sue dichiarazioni possono essere estremamente utili per le indagini.»

«Bene, cosa vuole sapere ancora?»

«Dov'era al momento dei fuochi?»

«Dove voleva che fossi? Fuori, vicino a Pasqualino.»

«È sempre stata fuori?»

«Più o meno sì, tranne quando i fuochi non partivano... che poi avevamo fatto le prove, i primi sono partiti subito, e invece quando è toccato a quelli a forma di cuore viola è successo il casino. Il viola porta male, si sa, ma è il colore preferito di Gaia e abbiamo ceduto. Ci stavamo davvero facendo una brutta figura e allora sono andata anch'io a controllare l'interruttore della luce.»

«Con Pasqualino o da sola?»

«Lui è sceso giù a controllare il sistema e io sono andata a spegnere e riaccendere il Bimby. Che poi la luce dopo è saltata veramente.»

«Quanto tempo sarà stata via?»

«Pochissimo, anche perché appena sono ricominciati i fuochi sono tornata e non mi sono più mossa dalla terrazza. Ma devo ammettere che sono venuti una schifezza. Volevo scomparire.»

«Ha visto se qualcuno si è allontanato?»

«Mi faccia pensare... dunque... quando sono rientrata mi pare di aver visto muoversi Franco, guarda caso, che andava in bagno e pure Ludmilla.»

«Chiara?»

«Lei in effetti era strana. Durante l'intervallo l'ho vista in salotto bere con Damiano, ma non può essere stata lei.»

«E perché mai?»

«È mia nuora. Noi siamo una famiglia perbene.»

Agata stampò il verbale e invitò la signora Matilde a firmare, prima di salutarla. Erano le tre del mattino e il maresciallo l'aspettava in auto fuori perché anche lui aveva finito.

Matilde si trovò così, di colpo, sola nella masseria.

Pasqualino si era addormentato sulla poltrona senza neanche spogliarsi, e lei aveva mandato a casa Ludmilla prima che finisse di pulire: sentiva il bisogno che tutti uscissero da quella che era casa sua. Non le restò che constatare cos'era rimasto di quella festa che aveva tanto voluto contro ogni regola di buonsenso.

I suoi passi risuonavano in quelle stanze dove restavano le trombette e i palloncini lasciati in giro, la tavola ancora imbandita, le sedie del salotto disposte in cerchio come a una riunione di alcolisti anonimi. L'unica cosa che sembrava indifferente a tutto era il ritratto, immobile, con il suo sguardo colto da un madonnaro leccese. "Ho scelto proprio una bella cornice" pensò Matilde. Fu l'unico modo di trovare un po' di luce in una notte sempre più buia.

## 21

Terminati gli interrogatori, Clemente e Agata si erano ritrovati stanchi, perplessi e pieni di appunti. Era stata una giornata infinita: iniziata con la preoccupazione per il grecale che ostacolava la processione a San Vito, finita verbalizzando dodici potenziali colpevoli e cercando un uomo nero con un cappellino a visiera. Clemente avrebbe voluto chiamare il suo amico sottotenente, ma era troppo tardi e se la doveva cavare da solo.

«Brigadiera, ti devo confessare ancora una cosa di questa notte assurda, ma mi devi dare la tua parola che non lo riferirai a nessuno.»

«Va bene.»

«Non ci ho capito un cazzo.»

Agata scoppiò a ridere e per un attimo vennero meno i suoi sensi di colpa per aver lasciato solo il fidanzato.

«Ma no... non dire così.»

«E invece è la verità. Dopo anni passati a Bologna a sognare Polignano, mi ammazzano la governante a casa dell'ex moglie di uno degli uomini più in vista del paese...»

«Non c'è mai un momento giusto per le disgrazie. Purtroppo succedono perché siamo umani, e perché siamo malvagi. Ma l'esperienza mi ha insegnato che più collaboriamo tra noi e prima arriviamo alla soluzione.»

«Be', per me questo è scontato.»

Non era vero, ma si sforzò di dirlo e continuò: «Tra l'altro, il capitano di Monopoli mi ha detto che se non risolviamo il caso in fretta l'indagine passa alla Omicidi di Bari».

«Ce la faremo. E appena Perrucci recupera il fermoimmagine di quest'uomo ripreso dalle telecamere lo distribuiamo alle pattuglie della zona.»

«Dev'essere quello che Ludmilla ha visto scappare... Quindi l'assassino potrebbe essere arrivato da fuori.»

«Già. Un estraneo totale oppure il complice di uno degli invitati. Mi pare che abbiamo materiale sufficiente per iniziare.»

«Solo che io mi sono sempre occupato di corruzione e spaccio... sai una volta quanta cocaina ho trovato?»

Era la centesima volta che la brigadiera sentiva quella storia ma fece finta di nulla.

«Quanta?»

«Modestamente... un chilo e mezzo.»

«Be'... però.»

«Però che?»

«Volevo dire: complimenti.»

«Grazie ma l'esperta di omicidi sei tu. Anche se non ti avevo mai presa in considerazione, lo ammetto.»

«Anche a me capita di dare giudizi un po'... come dire...»

«Un po' alla cazzo di cane?»

«Un po' alla cazzo di cane è l'espressione migliore. Ma senti, Clemente, se ti fidi di me, visto che ci mettono fretta... ci facciamo quattro chiacchiere mettendo a confronto i nostri verbali? È sempre meglio riflettere a caldo perché si hanno delle sensazioni più precise.»

Erano le tre passate, Clemente era a pezzi, aveva male ai piedi, sognava solo un bacio di Felicetta, una coccola di Brinkley e una teglia di melanzane. Ma non poté dire di no.

«Va bene, solo che io se non mangio svengo e preferirei tornare a casa mia che è grande, tanto mia moglie dorme. Magari ci riscaldiamo la parmigiana che ha preparato. Anche se so che il tuo ragazzo si è appena trasferito da te e forse ti sta aspettando.»

«E tu come lo sai?»

«A Polignano i fatti si sanno tutti.»

«È vero, mi dimentico sempre. A quest'ora credo che dorma... ormai è andata com'è andata, quindi nessun problema.»

Così, a quell'ora, mentre le vecchiette del paese vegliavano un San Vito che agli occhi dei più appariva felice e quieto, quella strana coppia si diresse nella casa del maresciallo Clemente a Port'Alga. Di notte la "casupola" sembrava ancora più isolata, tra la strada sterrata e gli scogli, e pareva uscita da un quadro di De Chirico.

Quando arrivarono in punta di piedi per non fare rumore, trovarono Brinkley addormentato sotto la finestra e Felicetta che dipingeva delle tazze. C'era un negozio in paese che gliele prendeva in conto vendita e le esauriva rapidamente, perché lei non seguiva le mode o le regole, ma solo il suo gusto, ispirandosi all'arte di Pino Pascali. Dipingeva tutto come se lo facesse per sé, a seconda di cosa la colpiva ed emozionava.

Era imbrattata di giallo e quando li vide entrare come due ladri, anziché irritarsi, ebbe una reazione di stupore quasi infantile.

«Ma come, arrivi con un'ospite e non avvisi?»

«Sono tuo marito da trent'anni... ero convinto che a quest'ora dormissi.»

«Vedo come mi conosci.»

Agata accennò un sorriso e Felicetta le tese la mano: «Sei la famosa brigadiera salentina?».

«Presente.»

Fu Clemente a interromperle cambiando tono.

«Sai la tata peruviana morta a casa di Matilde di cui ti ho accennato? Stiamo cercando di capire come stanno i fatti.»

«Quindi l'hanno ammazzata?»

«Pare di sì.»

«Dicevi che qui a parte il contrabbando non succedeva mai niente.»

«Evidentemente dicevo cazzate.»

Felicetta scosse la testa.

«Allora andate giù in tavernetta che vi riscaldo qualcosa. Scom-

117

metto che stai morendo di fame... Tu Agata mangi tutto o hai qualche intolleranza?»

Agata si passò una mano sul girovita.

«Purtroppo mi va bene tutto.»

«Perché purtroppo?»

«Be', oggi se non c'è qualcosa che non mangi la gente ti guarda male: latticini, funghi, prosciutto crudo... Devi avere qualcosa da evitare altrimenti sembri sfigato. Ma a me davvero basta uno spuntino.»

«Eh, ma io oggi ho fatto le melanzane alla parmigiana, e se conosco bene mio marito le preferisce scaldate.»

Alla parola "parmigiana", Brinkley balzò sull'attenti e dopo aver scodinzolato attorno ad Agata la guardò con gli occhi da Bambi. Lei si sciolse in un istante, anche se era stanca morta, e chiese se poteva dargli un biscottino. Felicetta annuì e il cane giurò ad Agata amore eterno, mentre il maresciallo l'accompagnava al piano di sotto.

Lei era sorpresa dalla stranezza di quel posto: era una casa molto diversa da quella che si sarebbe aspettata da un maresciallo polignanese. Si accomodò sulla poltrona che lui le indicò, mentre Brinkley non le si staccava un attimo di dosso: per un cane nessuna carezza sarà mai più gradita di un biscottino. Clemente, dopo aver ricacciato uno sbadiglio, prese il discorso alla larga.

«Io partirei dalle sensazioni... tu per ora che cosa hai capito?»

«Che questa Adoración apparentemente era la classica tata sudamericana che prepara il *dulce de leche*, ma di sicuro nascondeva qualcosa. Non era solo quella che voleva dare a vedere.»

«Le donne che impressione ti hanno fatto?»

«Ognuna di loro ha tenuto qualcosa per sé... quindi tutte hanno qualcosa da nascondere.»

«E poi c'è quest'uomo ripreso dalle telecamere esterne.»

«... che è fortemente sospettato di essere il colpevole.»

«In apparenza sì, Agata, ma qualcosa in quella casa non mi convince. Come dicevi tu, ci conviene scambiarci i verbali e leggerli con attenzione ma prima, ti prego, fammi mangiare sta parmigiana che è da ore che la sogno.»

Felicetta era comparsa con due porzioni già impiattate ed era poi tornata con una bottiglia di vino rosso: «l'alcol aiuta sempre».

Così, dopo la parmigiana "Felicetta style", i due provarono a rileggere i verbali.

Brinkley sperava che Agata gli facesse un altro regalo e le si era accucciato ai piedi, mentre lei cercava di concentrarsi.

«Agata, ti devo confessare una cosa. Io da sempre ho una passione per il karaoke.»

«L'avevo notato entrando.»

«Ho notato che l'hai notato, ma devi sapere che è più forte di me: a volte me ne vado anche a Bari in incognito pur di esibirmi.»

«Ma così, da solo?»

«No, con un vecchio collega che ha la mia stessa passione. Quanto ci divertiamo tu non puoi capire.»

«E tua moglie non la porti?»

«È venuta una volta. Dice che anche se canto Modugno sembro un neomelodico e si vergogna. Così a sto punto ho iniziato a cantare Gigi D'Alessio. E mi piace.»

«Il marito della Tatangelo?»

«L'ex.»

«Spero che tu non voglia cantarlo ora.»

«No, stasera non ci penso nemmeno, ma una volta voglio dedicarti *Non dirgli mai* di Gigi.»

Per lui, ormai, era "Gigi" e ad Agata non restò che annuire. Brinkley si era messo ai suoi piedi aspettando un altro biscotto, e lei si guardò per un attimo intorno: si ritrovava catapultata da Bolzano a Polignano nella tavernetta di un maresciallo che amava segretamente il karaoke.

Fu allora che i due stipularono un patto: non si conoscevano e fino a quel momento si erano a malapena sopportati, ma dovevano smettere di evitarsi per arrivare a una soluzione.

Agata aveva dalla sua l'ingegno e l'impegno, il maresciallo l'istinto e la conoscenza del territorio. In realtà, i due non ebbero la forza di rileggere con attenzione i verbali e lui soprattutto temeva di addormentarsi, così li scorse velocemente provando a trarre le sue prime conclusioni.

«A me pare che tutti abbiano notato qualcosa di strano e che non sempre abbiano detto quello che sapevano. Non ho capito se Matilde era vicino a Pasqualino durante i fuochi, e don Mimì non mi ha raccontato che aveva avuto un'accesa discussione con Ludmilla. Questo però è tipico dei polignanesi, che sono diffidenti con gli estranei. Ma per trovare l'assassino, dobbiamo capire chi è la vittima.»

«Giusto.»

«Però che ne dici se lo facciamo domani? Io sto morendo di sonno.»

«Giustissimo, marescià.»

Erano quasi le cinque del mattino e i due erano ormai troppo cotti per affrontare lucidamente la situazione. Quando risalirono al piano di sopra trovarono Felicetta che continuava a dipingere girasoli sulle ceramiche come se nulla fosse: «Prima di andare via, però, devi assaggiare il mio liquore di ciliegia».

## 22

Agata aveva trascorso ciò che restava di quella notte aggrappandosi al torace di Gianpiero, che aveva scelto un angolo del letto e da lì non si era mosso. Prima di crollare dopo la scatoletta di tonno, era andato a vedere i fuochi da solo a Cala Paura in mezzo a una folla di sconosciuti e per un attimo si era chiesto: "Che ci faccio qui?". Lei lo aveva capito e non poteva biasimarlo, ma non aveva avuto alternative.

Preparò il caffè con la moka, aggiunse un plumcake e gli portò la colazione a letto.

«Amore, svegliati.»

Gianpiero aprì gli occhi e dimenticò ogni rancore. In fondo voleva solo essere rassicurato. Agata, però, presa dall'ansia, iniziò subito a raccontargli dell'indagine e gli parlò dell'angioletto, della tata e dell'intruso ripreso dalle telecamere.

«Ma non possiamo fare colazione in pace?»

Lei si ammutolì cercando di non rovinare l'atmosfera. Il silenzio che seguì quelle parole le lasciò addosso un sottile dispiacere, che si portò dietro quando chiuse la porta di casa. Il suo stato d'animo contrastava con il cielo blu, le luminarie bianche e il giallo dei lupini che coloravano le bancarelle.

Quel giorno, con protagonista il vescovo, ci sarebbe stata la processione del "braccio di San Vito", in cui erano sigillati da secoli i resti del santo martire. Solo padre Gianni li aveva visti una volta di nascosto e l'aveva confessato a don Raffaele, che a sua volta l'aveva confidato alla signora Labbate, che non aveva resistito comunicandolo al mondo intero. Dopo la processione del braccio, quel secondo giorno di festa si sarebbe concluso con il grande concerto dei Sosia: sarebbe stata una delle cose più folkloristiche mai viste a Polignano negli ultimi vent'anni, un mix tra "La Corrida" e "Italia's Got Talent", in grado di attirare pubblico perfino dalle altre province. Anche perché, in anteprima mondiale, ci sarebbero stati per la prima volta i Sosia dei Måneskin.

Quando la brigadiera arrivò in caserma trovò Clemente un po' in apprensione: il capitano di Monopoli l'aveva di nuovo sollecitato perché voleva fare bella figura con la procura, e lui era già al lavoro con due carabinieri che, fotogrammi alla mano, stavano acquisendo le immagini delle telecamere sparse per il paese per cercare altre tracce dell'uomo misterioso. L'ingresso dell'appuntato Perrucci distrasse tutti da quello che stavano facendo. Aveva messo il gel nei capelli ed era più sexy di Clark Gable. Da quando si era separato era ancora più in forma, e Agata lo fissò ricordandosi di quanto le aveva raccontato Chiara la sera prima. Lui sembrò cogliere la malizia di quello sguardo, ma evitò di puntare gli occhi sul suo décolleté e si mostrò più disponibile del solito. Il massimo dell'ambizione, per lui, era assomigliare ai carabinieri dei telefilm che mostrano il tesserino, inseguono le macchine e fanno le perquisizioni. Perrucci amava letteralmente vestire i panni del carabiniere, al punto di averlo fatto diventare anche la sua fantasia erotica.

Prima di cominciare la riunione, il maresciallo convocò Agata nella sua stanza, fece arrivare due espressini dal bar e cercò di entrare subito nella parte che non aveva mai interpretato.

«Tu riesci a capire se possono farci avere al più presto le impronte sull'angioletto?»

«Ci provo, maresciallo. Ma i colleghi di Bari fanno sempre un po' i difficili... dicono che dipendono da Roma, ma non è vero.»

«Ah, fanno i difficili? Aspetta un attimo.»

Clemente tirò fuori l'agenda dove teneva i numeri di una vita e chiamò uno dei tanti ragazzi che, negli anni, aveva accontentato nei trasferimenti.

«Ehi Gaspare? Sono il maresciallo Clemente... il bolognese di Polignano, ti ricordi? Quello che per primo ti ha trasferito a Bari perché avevi la fidanzata... e tutte quelle storie... ah vi siete sposati, sono contento... ah pure il figlio maschio? Meglio ancora... sì sì, poi vediamo per il battesimo. Senti un po'. Noi come sai abbiamo un guaio a Polignano e dobbiamo avere gli esiti delle impronte su quell'angioletto al più presto. Quindi fammi sto piacere che mi stanno facendo pressioni.»

Clic.

Agata restò a bocca aperta davanti a quei modi diretti e spicci.

«Non avrei saputo essere più convincente.»

«Scherzi? È il minimo, sai quanto mi ha rotto le palle per quel trasferimento? E poi è sparito... quindi me lo deve. Che altro possiamo fare?»

«Io farei perquisire subito l'abitazione di Adoración, e analizzare il suo telefono.»

Il maresciallo fece chiamare il Clarke Gable della caserma.

«Tu, Perrucci, con quegli occhi, oltre a fare danni, devi darti una mossa: chiama il magistrato, dobbiamo avere subito il decreto di perquisizione della casa di Adoración. Ispeziona la sua borsa, vedi se si sblocca il suo telefono... tutto... *Muvt*.»

«Comincio subito.»

«Non è finita, *uagliò*... Devi scoprire dove sono stati di recente tutti i partecipanti alla festa: se si sono registrati da qualche parte... magari esce qualcosa.»

Perrucci amava quando gli davano gli ordini: sparì all'istante tenendo stretto l'elenco dei nomi degli invitati che – a parte Chiara – non conosceva bene, per cui poteva fare il suo lavoro più serenamente.

A Polignano, intanto, l'assenza di padre Gianni durante la processione era stata al centro di molte discussioni: «lasciare la festa patronale per una fetta di torta» non venne considerato un segno di devozione, e anzi alcuni attribuirono quel fatto drammatico all'incazzatura di San Vito. Così, anziché seguire il braccio del Santo, i polignanesi andavano dietro alle voci e ognuno aveva una sua classifica dei presunti colpevoli. Su tutti era sceso un leggero velo di infamia che non aiutava certo la buona reputazione.

L'autopsia era prevista eccezionalmente per le dodici, ma Clemente e Agata decisero di partire un po' giusti con i tempi. Forse troppo, ma il maresciallo da buon pugliese pensava che tutti i luoghi distassero venti minuti, che si trattasse di Grottaglie o di Brindisi.

Sia lui che Agata avevano dormito poco. Lasciarono Polignano in mezzo alla confusione con un senso di liberazione e si diressero all'istituto di medicina legale del Policlinico di Bari. Il lungomare della città era sempre un toccasana per il buonumore, con quei lampioni parigini e la passeggiata più azzurra del mondo. Lungo la strada il maresciallo volle prendersi prima un pezzo di focaccia da Pupetta, poi un altro, e infine una Peroni, che era la morte sua. Arrivarono a destinazione con un quarto d'ora di ritardo. Lui si era portato anche un disegno del piano della casa, del salottino degli angeli e della terrazza, e si era fatto uno schema con tutti i protagonisti della serata.

Quando entrarono all'istituto, il medico aveva già iniziato l'autopsia: «Vi sembra questa l'ora di arrivare?» disse a voce piuttosto alta, e Clemente ebbe il terrore che gli avessero già tolto l'indagine. A fargli più paura, però, fu rivedere quel cadavere.

Per un attimo temette di vomitare la focaccia, ma era pur sempre il maresciallo, per cui si concentrò sui particolari, cercò di dimenticare quell'odore acre e facendosi forza si avvicinò al corpo della povera Adoración.

Il medico era alto e magro magro, con occhiali tondi che lo rendevano più simile a Cavour che a un uomo contemporaneo, e aveva un metodo molto particolare di ispezionare il corpo. Ogni tanto si allontanava, poi si avvicinava, usava luci di contrasto e strumenti che Agata conosceva molto meglio del maresciallo, che annuiva per impressionare positivamente il dottore.

Il maresciallo si sforzò di osservare Adoración. Era ancora truccata, sebbene con una chiara ferita in testa e il volto spento e inespressivo. Quel trucco lo colpì: sicuramente era una ragazza vanitosa, ma con le donne lui non ci capiva mai troppo.

Dopo un paio d'ore, il medico illustrò gli esiti della perizia con logica freddezza.

«La signora non è morta per il colpo ricevuto dal soprammobile, ma per aver picchiato la nuca, scivolando all'indietro e sbattendo contro la scrivania.»

Agata era attenta a ogni singola parola e il medico la osservava un po' più rassicurato.

«Potrebbe averla colpita sia un uomo sia una donna?»

«Sì. Un uomo non troppo arrabbiato o una donna un po' livorosa, mi verrebbe da dire... di altezza tra 1.60 e 1.76.»

«Non si potrebbe avere qualche elemento in più?»

«In realtà non è semplicissimo, perché non è chiara la forza con cui la vittima è stata colpita. Se è stato un uomo non voleva ammazzarla, una donna forse sì. Escluderei persone più alte di 1.76. E con un'analisi della concentrazione della molecola di ammonio nell'umor vitreo, potremmo arrivare anche all'ora esatta del decesso.»

Agata fece ancora qualche domanda per cercare di restringere ulteriormente il campo, ma ottenne risposte piuttosto sibilline, che misero i due colleghi un po' in allarme. Il più preoccupato e deluso era il maresciallo.

«Senti un po', Agata... tu che hai esperienza... sono sempre così vaghi quelli della medicina legale?»

«Dipende. Questo era molto scrupoloso e forse non voleva fare supposizioni, ma aspettiamo di avere notizie sull'ora esatta del decesso. Però ha detto una cosa interessante: se l'ha colpita un uomo non voleva ammazzarla, se è stata una donna forse sì. Quindi quello che dobbiamo fare mentre attendiamo gli esiti delle impronte è capire meglio i rapporti che c'erano tra Adoración e gli ospiti.»

Durante il viaggio, Clemente chiamò Perrucci per verificare l'altezza di tutti i partecipanti. Come sospettava, don Mimì era alto

1.81. Poteva quindi già escluderlo dai presunti colpevoli e questa cosa lo tranquillizzò. La zia Dora, la più bassa, era alta 1.63 e dunque ancora potenzialmente indiziata.

In macchina, Agata osservava con attenzione lo schema fatto dal maresciallo che guidava alla stessa velocità della sua mente e continuava a rielaborare i fatti.

«Visto che sei così brava a verbalizzare, potresti sentire gli altri ospiti che sono passati dalla casa prima dei fuochi d'artificio e mostrare l'immagine dell'intruso a tutti. Intanto io e Perrucci ci facciamo un giro per il paese per capire se qualcuno l'ha visto: i polignanesi sono meglio delle telecamere. Di sicuro chi avrà notato qualcosa ce lo dirà.»

«Giusto, maresciallo. Ma oggi ci sarà una bella confusione in giro.»

«I miei paesani però alla fine so sempre dove trovarli. Abbiamo una specie di radar per cui ci riconosciamo anche in mezzo alla folla, come i gay.»

«Che c'entrano i gay?»

«I gay, come i pugliesi, c'entrano sempre. A Bologna facevamo vigilanza durante le manifestazioni arcobaleno. Ormai mi sono fatto una cultura... e i gay si riconoscono sempre tra loro.»

Agata era sorpresa dalle insospettabili sfaccettature del maresciallo.

«Anche i polignanesi?»

«Certo, da come camminano. Cambiano i tempi, ma gli scogli restano sempre duri uguali e solo chi è nato qui sa dove appoggiare le mani per uscire dall'acqua, *e capeit?*»

«Maresciallo, una volta vorrei andare in pattuglia insieme a te.»

«Per me va bene, ma il primo giro preferirei farmelo io... la gente deve pensare che mi sto facendo il solito tour per i caffè. Cosa che, a dire il vero, è quello che ho fatto negli ultimi mesi.»

Ad Agata venne da sorridere.

«Avrai tempo e modo di riposarti in pensione... adesso cerchiamo di risolvere questo caso.»

«Certo. Prima la giustizia, poi la pacchia.»

Tornarono a Polignano accompagnati da un cielo azzurro e un

po' di grecale che continuava a stuzzicare il mare. Padre Gianni stava celebrando la messa in onore di tutti quelli che si chiamavano Vito nella chiesa Matrice ma i fedeli, anziché essere concentrati nelle preghiere, erano curiosi di vedere se erano presenti «i sospettati», come ormai li avevano soprannominati in paese. Ninella fu la prima ad arrivare, come sempre, noncurante degli sguardi dei curiosi, seguita da una scia di profumo alla rosa e da Mimì. Matilde si presentò vestita di nero ma senza Pasqualino, mentre Chiara e Damiano erano in ritardo con la bambina. Dora e Modesto si fecero vedere all'uscita, ma solo perché temevano che la loro assenza sarebbe stata scambiata per «indizio di colpevolezza», come diceva la zia Dora, che dopo aver seguito il caso di Denise Pipitone usava con disinvoltura parole come «inquirenti», «danni alla persona» e «omicidio preterintenzionale».

Appena rientrati in caserma, Perrucci aggiornò il maresciallo sul contenuto della borsa di Adoración e sulla perquisizione in casa: il telefono della vittima aveva un codice di accesso e senza quello era impossibile sbloccarlo. Il maresciallo, da buon pugliese, non si diede per vinto e iniziò subito la caccia a qualche bravo smanettatore che potesse aiutarlo. Nella borsa di Adoración c'era un portachiavi con una chiave sola che non apriva la porta della sua abitazione, e neanche quelle delle case che era solita frequentare per lavoro. Una semplice chiave un po' vecchiotta.

«Dobbiamo capire a cosa serve, Perrucci. Vedi di scoprirlo in fretta... e se riusciamo a sbloccare sto iPhone ancora meglio.»

L'appuntato era sempre più preso dal sacro fuoco dell'investigazione e ripartì in quarta alla ricerca della verità. Prima, però, fornì l'elenco dettagliato di tutti i luoghi dove la vittima e gli ospiti erano stati registrati negli ultimi tre mesi, e Clemente l'annotò sul suo bloc-notes.

Lo colpirono in particolare i movimenti di Damiano. Gli faceva effetto l'elenco di masserie e alberghi della zona dove aveva soggiornato, "sicuramente non con la moglie" pensava tra sé. Erano troppo vicini a Polignano perché avesse senso dormire fuori.

In realtà non era l'unico: Adoración aveva trascorso una notte al bed and breakfast La casa degli amici a Conversano poche settimane prima del delitto.

Anziché inviare una pattuglia, il maresciallo preferì andarci di persona, mentre Agata avrebbe sentito gli ospiti che erano passati dalla masseria prima dell'omicidio.

## 23

Quando uscì dalla caserma, il maresciallo Clemente venne colto di sorpresa: un piccolo crocchio di giornalisti si era radunato per avere aggiornamenti sull'omicidio – c'erano anche le telecamere delle reti nazionali e un microfono di Telenorba – ma riuscì a svicolare in fretta spiegando che non c'erano ancora notizie certe da dare.

Appena poté, chiamò il sottotenente Maiellaro che però era impegnato in un'operazione e gli disse solo: «Fai parlare la gente. A Polignano c'è sempre qualcuno che sa».

Il paese sembrava anestetizzato dalla festa e le bancarelle nella via principale avevano aumentato il traffico. Alcuni pellegrini erano accorsi anche da lontano per assistere a quella cerimonia, in particolare da San Vito Lo Capo, portando un po' di Sicilia nel Barese. Le luminarie arrivate da Scorrano erano talmente ingombranti da sembrare accese anche da spente.

Il maresciallo passò da casa e vide il mare così perfetto che pensò di distrarsi un po' pescando. Aveva bisogno di isolarsi da tutti, non pensare a niente e tenere gli occhi fissi sul galleggiante in attesa che qualcosa succedesse. Mentre il mondo si agitava senza sosta, sugli scogli regnava la quiete. Quando Brinkley vide il suo padrone prendere la canna, iniziò ad agitarsi in quel modo che il maresciallo non riusciva mai a placare. Felicetta sapeva bene che preferiva Clemente a lei, ma se n'era fatta una ragione, anche se a volte le sorgeva il dubbio che anche lui preferisse la compagnia del cane. Sebbene suo marito fosse presissimo dal lavoro, lei non volle sentire ragioni: «Prima di uscire devi dirmi se ti piace questo vestito».

Il maresciallo non ebbe il tempo di rispondere che Felicetta era già corsa a cambiarsi lasciandolo imbambolato sul divano: amava sua moglie anche perché gli faceva saltare i nervi. Dopo un po' ricomparve dentro una specie di caffettano pronta per sbarcare a Capri. Il commento del maresciallo all'abito fu semplice, scarno ed essenziale: «è molto giallo» disse, e lei non seppe se ridere o piangere. Si lasciò stampare un bacio e lo guardò uscire seguito da Brinkley. Le rocce davanti alla loro "casupola" erano sempre un bel punto dove fermarsi a pescare.

Il maresciallo preparò le esche – i vermi coreani erano i suoi preferiti –, poi la lenza e i piombini, scelse con attenzione il galleggiante, posò il telefono, si fece il segno della croce e disattivò la mente. Aveva bisogno solo di guardare il mare. Quando un'orata abboccò, iniziando a dimenarsi, Gino provò un momento di autentica felicità. Lo colse come un segno del destino al punto che la liberò dall'amo, la mise nel secchio e se ne tornò a casa soddisfatto. Sua moglie era appena uscita per andare a trovare un'amica, e lui le lasciò solo un biglietto: "Falla alla brace". Era uno di poche parole, ma precise.

Salì in macchina con Brinkley che lo fissava perplesso perché sarebbe stato ancora a scorrazzare sugli scogli e lasciò il suo paese percorrendo le scorciatoie che conosceva. Appena superate le ultime case, il paesaggio tornò prepotentemente sulla scena.

Come tutti i polignanesi, il maresciallo era andato poche volte a Conversano: lo trovava un paese molto bello ma non aveva il mare, e chi è nato davanti a quell'orizzonte non riesce a prendere in considerazione un mondo che finisca in un altro modo. Inserì l'indirizzo del bed and breakfast sul navigatore e scoprì che era piuttosto fuori dal centro.

Parcheggiò all'ombra degli alberi di un giardinetto e ordinò a Brinkley di restare in macchina ad aspettarlo, ma lui riuscì a farlo sentire in colpa così rapidamente che, con la coda tra le gambe, gli disse solo «ok, basta che non rompi».

Il bed and breakfast si trovava in un caseggiato anni Settanta a tre piani, senza anima né ascensore. Al citofono rispose una signora.

«Chi è?»

«Sono Gino Clemente, il comandante della stazione di Polignano. Posso salire?»

«Oddio, ma non sta la festa a Polignano?»

«Sì, ma che c'entra? Mi apra.»

Sentito il tono, la signora schiacciò ripetutamente il pulsante del citofono.

Appena vide il tesserino del maresciallo, si mise una mano davanti alla bocca.

«Stia tranquilla, non è successo nulla di grave, voglio solo farle qualche domanda.»

«Ah, meno male! Allora prima mi dica a che ora c'è il concerto dei Sosia stasera, che mia nuora vuole portare la madre, che è pazza di Al Bano da anni.»

«Da quando stava con Romina, m'immagino.»

«Macché. Lei è tutta per le Lecciso, che le vedeva in televisione. Se le ricorda le Lecciso?»

«Signora... la prego.»

«Ha ragione, mi scusi. Tanto so perché è venuto qua.»

«E sarebbe?»

«Io l'ho sempre detto a mio marito che le camere era meglio non affittarle a ore, ma sa come sono testoni i mariti di questa zona. Non c'è stato verso.»

Il maresciallo strabuzzò gli occhi.

«Ma cosa sta dicendo?»

«Ci sono gli alberghi a ore per gli amanti clandestini e lui ha avuto l'idea di fare il bed and breakfast a ore che mancava, ma se uno vuole può stare tutta la notte. Sicuro che ai nostri vicini bigotti sta cosa dava fastidio e ci hanno denunciato, ma per non farsi scoprire sono venuti fino alla caserma di Polignano e voi siete qui per farci la multa. Basta che non si sappia in giro, però, marescià, sennò sai che figura.»

«Signora, a me del vostro albergo a ore non interessa. Sono venuto per farle qualche domanda su un'ospite che è stata qui qualche settimana fa... non so se si ricorda. Si chiama Adoración, una ragazza peruviana...»

La signora intuì che la questione era delicata e cercò di prendere tempo.

«Qualcosa mi ricordo, certo. Era strana... nel senso che aveva prenotato una notte perché doveva fare dei servizi a Conversano ma poi ho visto dal documento che era di Polignano... quindi ho capito subito, maresciallo.»

«Cos'ha capito?»

«Che anche lei aveva l'amante. Vengono qui perché la nostra struttura è su una strada secondaria, è comoda per il parcheggio, io mi faccio i fatti miei, sto nella mia casa qui di fianco, anche se a volte li sento di là... mi metto con l'orecchio al muro e li sento.»

«Ma che fa, la guardona?»

«Per passare il tempo. Ma sono contenta che si divertano, la gente ne ha bisogno. Anch'io ogni tanto a mio marito qualche corno gliel'ho fatto.»

Dal timore iniziale, il tesserino aveva creato tutto un altro effetto.

«Signora, a me non interessano le sue trasgressioni. È sicura che Adoración si è incontrata con qualcuno?»

«Al mille per mille.»

«E come fa a saperlo? Li ha sentiti?»

«No, quel giorno no... non è che sono così fissata. Ma sono sicura, perché il giorno dopo ho trovato la carta del palloncino.»

«Di cosa?»

«Il palloncino... il profilattico... quello che si mettono i maschi per non far restare incinta la femmina.»

«Be', sì, conosco la funzione. E ce l'ha ancora?»

«Ma che schifo... secondo lei?»

«Ricorda di come ha trovato la stanza? L'ha vista personalmente?»

«Sì... era abbastanza in ordine, secondo me non ci ha neanche dormito perché il giorno dopo sono andati via presto e sul letto sembrava che ci si fossero solo sdraiati sopra per fare le zozzerie.»

«Avete una telecamera?»

«Per carità. Io rispetto la privacy dei miei clienti.»

Clemente ebbe un momento di stizza che solo Brinkley riuscì a intuire, e gli scodinzolò intorno per calmarlo.

«Signora, è pregata di rispondere senza commentare, va bene? Quella ragazza è stata ammazzata e quindi è nostro dovere sapere la verità.»

La signora si mise di nuovo la mano davanti alla bocca ma ci aggiunse uno sguardo di terrore tipo *L'urlo* di Munch.

«Oddio, era così perbene...»

«Ma veramente fino a poco fa ne aveva avuto un'impressione diversa.»

«Sì, ma quando uno muore dispiace subito.»

«Posso vedere la stanza dove ha dormito?»

La signora prese un mazzo di chiavi e gli disse di seguirlo. L'appartamento al piano di sopra era semplice e composto da tre camere da letto matrimoniali dotate di bagno e un lettore dvd.

«Sa, a volte vogliono vedere i film spinti, ed è un servizio che offriamo.»

«Fate bene.»

«È fortunato che oggi quella stanza è libera mentre le altre sono occupate.»

«Da chi?»

«Qui di fianco c'è un architetto di Bari, che è qui per lavoro... deve ristrutturare un palazzo. Nell'altra un medico di Bisceglie con la segretaria. Loro sono clienti fissi da anni, gente perbene.»

La signora, intanto, gli mostrò la stanza dove era stata Adoración: una camera semplice, con un letto matrimoniale senza troppi fronzoli, uno specchio, una cassettiera e una finestra sul cortile. Il maresciallo si guardava in giro cercando di capire se poteva immaginarsi qualcuno degli ospiti della festa in quella stanza con la ragazza. Sicuramente poteva essere solo un maschio: padre Gianni, lo zio Modesto, lo zio Franco, Pasqualino o Damiano.

Tirò fuori le foto di tutti e alla signora, guardandole con attenzione, parve di riconoscere Damiano: era un volto familiare. Clemente aveva già escluso don Mimì, il campo così si restringeva e Damiano apriva una nuova ipotesi. Mentre era ancora lì a guardarsi intorno, sentì di colpo dei rumori provenienti dalla stanza di fianco: era la spalliera del letto che si muoveva a ritmo regolare.

«Ma l'architetto è solo?»

La signora rise e invitò il maresciallo ad appoggiare l'orecchio al muro. Lui la fulminò con lo sguardo.

«Dev'essere venuto a trovarlo un'amica.»

«Ah, ecco perché si chiama La casa degli amici...»

«Maresciallo, faccia poco lo spiritoso: io qui non posso puntare sull'offerta turistica, mica stiamo a Polignano... allora diciamo che offro delle stanze e la mia discrezione: io non vedo, non sento e non ricordo.»

A Clemente venne da sorridere.

«"Non sento" mica tanto, signora...»

«Be', se viene la polizia è un altro discorso.»

«Io veramente sono un carabiniere.»

«Sì sì, lo so, faccio la collezione dei calendari. Lei mi può procurare quello di quest'anno?»

«Va bene, ma cerchi di farsi venire in mente qualcosa di relativo a quel soggiorno. Ci pensi bene e mi faccia sapere.»

Il maresciallo stava per andare via – Brinkley era praticamente già fuori – quando venne fermato sulla porta.

«Maresciallo... ora che ci penso...»

La signora andò nell'altra stanza e tornò con una sciarpa blu.

«Era finita sotto il letto... apparteneva alla ragazza. Sicuro che se la sarà scordata.»

«L'ha lavata?»

«No, perché le cose dimenticate le metto da parte, a volte le richiedono dopo mesi. Piuttosto aspetto e quando ne accumulo un po' le porto alla Caritas. Questa poi è di cotone leggero, che se la lavi magari gliela rovini. »

Il maresciallo prese quella sciarpa come se fosse un oggetto prezioso.

Salì in macchina con qualche tassello in più: il volto familiare di Damiano, la prova che Adoración aveva incontrato un uomo e una sciarpa da analizzare.

Brinkley provò subito ad annusarla, ma lui la mise al sicuro nel cruscotto prima di repertarla. Iniziavano a esserci tanti piccoli indizi.

## 24

Agata preferì uscire dalla caserma senza divisa perché non voleva dare nell'occhio davanti a tutti quei microfoni puntati che attendevano notizie sullo sviluppo del caso. Per strada, i polignanesi di fatto non la conoscevano: in fondo aveva sempre frequentato poco il paese, se non per andare a correre sul lungomare la mattina o precipitarsi in edicola a comprare "La Settimana Enigmistica", di cui era fedele lettrice. Per il resto se ne stava per i fatti suoi, litigava con i ricci e pensava a quando sarebbe potuta tornare nel suo Salento. La festa di San Vito le ricordava vagamente quella di San Pietro e Paolo a Galatina, alla quale partecipava ogni volta con Gianpiero.

Quando la signora Labbate vide la brigadiera guardarsi circospetta intorno a casa sua, pensò di darle una mano.

«Cerca Ninella Casarano? La casa è quella di fronte.»

«Veramente io cerco Vincenza Labbate.»

«Sono io. E com'è sto fatto?»

La signora Labbate cercò di mettere subito le mani avanti, ma Agata entrò in casa senza alcuna remora e lei capì che c'era poco da scherzare.

Era nervosa e pentita di aver esternato le sue opinioni in giro con leggerezza, soprattutto perché c'era una vittima di mezzo. Di sicuro le sue parole erano state travisate e ora qualcuno voleva incastrarla.

Ma la brigadiera non aveva tempo da perdere, perché era convinta che i casi si debbano risolvere in fretta, altrimenti poi "si incrostano" e diventa tutto più complicato.

La Labbate aveva perso la sua spavalderia e davanti al pubblico ufficiale era diventata mansueta e collaborativa. Non si vantava più di avere un piccolo impero nel centro storico e che i turisti dipendevano da lei, che rispetto a Ninella ce l'aveva fatta. Ora era una cittadina vittima di se stessa e delle molte parole che aveva detto a vanvera. Di colpo apparve un po' spaurita.

«Ovviamente, signora Labbate, quello che mi racconta sarà confidenziale, altrimenti rischia di avere dei problemi con la legge.»

La signora Labbate iniziò a tremare: come avrebbe fatto a starsene zitta e a non mettere in giro nuove voci? Aveva il terrore di finire al centro di un processo mediatico, uno di quelli che seguiva alla televisione.

«Brigadiera, le do la mia parola d'onore e poi tutti sanno che sono riservata.»

«Cosa dicono tutti non m'interessa, perché è importante cosa lei dirà a me che non dirà a nessun altro, va bene?»

«Va bene. Comunque l'ho già detto al suo collega che è venuto stamattina: io quell'uomo nero non so chi sia... non saprei proprio riconoscerlo e non capisco perché continuate a venire da me. Non avete una foto anche senza cappello?»

«Certo, signora. Se l'avessimo avuta senza forse non saremmo andati in giro a chiedere.»

«Se mi lasciate la foto ci metto poco a capire se qualcuno lo riconosce.»

«Non è il caso, signora, sono cose riservate.»

«Lei non si preoccupi. Dove non arrivano i carabinieri, la Labbate c'è.»

Agata la guardò esterrefatta.

«Mi dice come mai era presente alla festa?»

«In realtà io non ero invitata... mi sarebbe piaciuto, perché sono una donna molto curiosa... ma io non c'entro niente con loro. E così, quando mi sono accorta che Nancy, la figlia minore di Ninella, aveva bisogno di un passaggio, mi sono offerta anche perché sennò vedevo la masseria solo dietro al cancello... per me il massimo era entrare, guardare e criticare. Chi l'avrebbe mai detto che poi mi trovavo inquisita ingiustamente!»

«Signora Labbate, per favore. Lei non è inquisita. La sto sentendo solo perché persona informata sui fatti.»

«Ah quello di sicuro, mi chiamano radio Polignano.»

«Bene, vedo che lo sa. Ma allora mi dica perché Nancy non è andata alla festa con Ninella...»

«Non si sono capite, credo. Ma poi Ninella è un po' particolare... è una donna che ha sofferto tanto per amore e ora che ha ritrovato don Mimì ha la testa un po' tra le nuvole.»

«Ninella abita qui di fronte, giusto?»

«Sì, e mi odia perché mi faccio sempre i fatti suoi... ma lei mi deve credere: è più forte di me. Non sono cattiva, solo pettegola e un po' rifatta... e allora vengo giudicata.»

«In che senso è rifatta?»

«Mi sono iniettata un po' di botox e mi sono ritoccata le labbra, vede? Ognuno ha le sue fisse, e la mia è questa... sto molto meglio con me stessa ma vengo considerata volgare. Che poi saranno fatti miei?»

«Sono d'accordo, signora, ma la pregherei di non divagare. Mi racconti cos'ha fatto da quando è entrata nella masseria.»

«Niente, sono entrata che mi aspettavo chissà che e invece è una casa come tante... ma il gusto è un'altra cosa... comunque quando sono arrivata stavano facendo il giro della masseria, tutti dietro a Matilde come quando spiego i bed and breakfast ai miei clienti.»

«Conosceva gli altri ospiti?»

«Brigadiera, sono radio Polignano... so tutto di tutti, ovvio.»

Agata per un attimo si compiacque e non riuscì a trattenersi.

«Be', devo ammettere che è una delle poche che sa che sono brigadiera.»

«Eh, certo. Mi è rimasto impresso perché una volta ho indovinato la parola all'"Eredità". Anche se il mio sogno è andare ai "Soliti Ignoti". Lei non ha qualche parente che lavora lì?»

«Signora Labbate, la prego. Mi dica se conosceva anche Adoración.»

«Non la frequentavo ma la conoscevo: la casa che divideva con Ludmilla è mia. In cambio dell'affitto mi aiutava a pulire alcuni appartamenti.»

«E che tipa era?»

«Secondo me era una che voleva trovarsi un uomo che la mantenesse, detta proprio papale papale. Anche perché era venuta in Italia per uno di Castellana, ma è stato un fuoco di paglia. E credo si sia passata a letto anche un po' di polignanesi.»

«In base a cosa lo pensa?»

«Be', era una donna carina e dava l'impressione di starci. Che non c'è nulla di male, non lo dica a me... che poi secondo me mio figlio è diventato gay perché io mi sono tanto divertita. Ma mio marito mi aveva mollato appena sono rimasta incinta, e io o mi sparavo o mi davo alla pazza gioia. E ho scelto la seconda strada.»

«Non colgo il nesso con il fatto che suo figlio sia gay.»

«Neanch'io, ma almeno lo sa prima che me lo chieda lei. Si chiama Mario e sta con Orlando Scagliusi.»

«Mi fa piacere per lui, ma tornando ad Adoración... era un'inquilina affidabile?»

«Certo, altrimenti non le avrei dato la casa, ma forse ha sbagliato qualcosa o ha fatto torto a qualche donna.»

«Pensa che potrebbe essere stata una donna a colpirla?»

«Be', sì. Una come Dora se scopre che Modesto se la fa con la cameriera è capace di ammazzarla.»

«Ma lei pensa che Adoración e Modesto avessero una relazione?»

«Era per fare un esempio.»

«E secondo lei, tra i presenti con chi Adoración avrebbe potuto avere una tresca?»

La signora Labbate ci pensò un attimo.

«Di sicuro Pasqualino c'è cascato, e non mi scandalizzerei se l'avesse avuta con il prete.»

«Padre Gianni? E in base a cosa lo pensa?»

«Non so se Adoración andava a casa sua per pulire o fare altre cose...»

«Ah. Questo non mi risulta.»

«A lei forse no. A me sì.»

«Lei li ha mai visti insieme?»

«Sì, ma sa, un conto è cosa succede per strada e un conto è cosa si fa quando si chiudono le porte.»

«Ma lui è il parroco di Polignano...»

«Che c'entra. Il frutto proibito è sempre piaciuto. Una mia amica era pazza di lui, ed era proprio innamorata... come Maggie e Padre Ralph di *Uccelli di rovo*. E lei gliel'ha confessato.»

«E lui?»

«E lui le ha risposto che era sposato con Dio e le ha consigliato un percorso spirituale.»

«Quindi è un prete serio.»

«Bah, non lo so. Ha pure ereditato da Menina una casa a Monopoli, che si è tenuto... poteva donarla alla Chiesa.»

«Mi spieghi meglio.»

«Menina era di Polignano, non aveva figli e ha lasciato disposizioni su quello che aveva in una lettera scritta al prete tanti anni fa: una casa a padre Gianni e il trullo a Ninella e a Modesto... e quindi a Dora. Però, dato che i trulli non si dividono, Ninella alla fine ha venduto la sua parte e ora ci abitano loro. E mo vogliono farci una casa vacanze, come tutti dopo che hanno visto il successo che ho avuto io.»

«E il prete, invece?»

«Il prete non so cosa ne faccia di quella casa, a me fa strano solo che non l'abbia lasciata alla Chiesa, tutto qui... e che Adoración proprio due giorni fa sia andata a fare le pulizie in quell'appartamento mi fa pensare.»

«Due giorni fa Adoración ha fatto le pulizie in quella casa? Ma lei come lo sa, signora Labbate?»

«Guardi che qui nel centro storico basta aprire una finestra e sei già su Facebook. Con tutte le finestre spalancate la privacy è quello che è. E se nei dintorni ci sono io la privacy è pari a zero, brigadiera. Quindi io ho sentito nella stessa frase "Adoración", "padre Gianni" e "chiavi di casa di Monopoli" e ho capito.»

«E cosa mi dice degli altri? Chi le ispira meno fiducia?»

«Io starei attenta a Franco, il fratello di Ninella. Mi spiace dirlo ma ha sempre avuto problemi con la giustizia e lavora proprio con le badanti, quindi lui... poi non ci giurerei pure su Lorita di Bitonto... mai fidarsi dei vicini di casa.»

«Chiara e Damiano come le sembrano?»

«Bravi, in apparenza, poi lui la riempie di corna secondo me e pure lei ha avuto qualcosa proprio con il vostro appuntato... il Clark Gable dei poveri, ma a sensazione non me li vedo che ammazzano Adoración con un angioletto.»

«Ma a lei chi gliel'ha detto dell'angioletto?»

La signora Labbate andò nel panico, ma alla fine cedette.

«L'ho sentito dire a Ninella e Nancy, io ero dietro le persiane e ho ascoltato proprio questo discorso.»

Agata restò qualche secondo in silenzio. La storia stava prendendo una strana piega, tutti parlavano con tutti, e la verità rischiava di essere un po' offuscata. Uscì pensando che doveva parlare subito del prete con il maresciallo, mentre con la coda dell'occhio ebbe la sensazione che un uomo la stesse seguendo.

## 25

«Maresciallo, sono Agata.»

«Ai suoi ordini.»

«Dài, piantala. Com'è andata a Conversano?»

«Bene, sto tornando ora. Adoración si è vista con un uomo, che però non risulta registrato... alla signora è parso di ricordarsi di Damiano. E ha dimenticato una sciarpa che farò analizzare. Tu sei riuscita a scoprire qualcosa?»

«Ludmilla ha riconosciuto l'intruso che ha visto sul balcone dalla foto del fermoimmagine che le abbiamo mostrato. Ora sto per andare da Nancy, ma prima sono stata dalla signora Labbate che mi ha fatto capire che la tata frequentava il prete e che proprio due giorni fa è andata a fare le pulizie nella sua casa di Monopoli... ma al verbale non compare, giusto?»

«Eh no... questo padre Gianni non l'ha detto.»

«Ci dobbiamo fidare di questa Labbate?»

«Be', per me è meglio di Dagospia. Le sa tutte prima.»

«Ottimo. Quindi che facciamo con il prete?»

«Lo vedo io, anche se avrà un po' di messe da celebrare e pure la visita del vescovo. Devo trovare il momento giusto. Tu dopo aver sentito Nancy convoca in caserma Daniela Loperfido e Orlando Scagliusi... poi, se vuoi, stasera mia moglie ci teneva a farti assaggiare anche le sue orecchiette. Sei libera?»

«Daniela e Orlando sono già stati contattati.»

«Ottimo, con lui vorrei parlarci io dopo che ho sentito il prete.»

«Nessun problema.»

«E per stasera?»

«Il mio ragazzo voleva vedere il concerto dei Sosia.»

«Be', venite a cena da noi e poi andate! Così conosce anche Felicetta.»

«Sì, basta che non ti metti a cantare, che chissà che pensa.»

«Tranquilla. Tu senti se gli fa piacere così avviso mia moglie.»

Agata non era abituata a mischiare il lavoro con la vita privata, e chissà cosa avrebbe detto Gianpiero, ma voleva essere ottimista.

Il maresciallo Clemente mise giù carico di energia: lui che attendeva sempre lo stipendio a fine mese, in tanti anni non aveva mai avuto la sensazione che il tempo sul lavoro volasse, e per la prima volta si sentiva davvero il comandante della stazione.

Quando rientrò a casa, trovò sua moglie che, dopo essersi mangiata l'orata, stava decorando una caraffa. Lui si pentì istantaneamente di aver invitato la brigadiera e il suo fidanzato per cena senza consultarla, e ci mise un po' a dirglielo. Felicetta riuscì a trattenere una reazione isterica solo perché quell'orata era spettacolare, ma alla richiesta delle orecchiette rispose semplicemente: «Scordatelo, Gino, devo prima finire questo lavoro».

Il maresciallo non osò ribattere e iniziò a sperare che il fidanzato di Agata desse forfait. Tempo zero e la brigadiera rispose: "Affare fatto. Gianpiero non vede l'ora di assaggiare le orecchiette di tua moglie".

Clemente reagì con tre semplici parole rivolte a se stesso: «Sei un coglione». Conosceva Felicetta e sapeva che, pur amando cucinare, non accettava imposizioni dell'ultimo minuto, soprattutto se stava lavorando alle sue ceramiche. Ma Clemente era un uomo ottimista e diceva in continuazione «*S'ana l'aggiustè i fatt!*».

Decise di tornare in paese a piedi e in questo era davvero un pugliese atipico, ma lui se ne fregava di quello che dicevano le persone e mentre camminava gli si schiarivano le idee, anche se vedere gli inviati dei programmi televisivi che intervistavano i passanti gli mise addosso un po' di tensione. Si avvicinò alla chiesa di Sant'Antonio e fece la posta a padre Gianni, assalito dai fedeli che dopo la messa volevano la benedizione. Durante San Vito padre Gianni era come Michael Jackson ai tempi di *Thriller*.

Il maresciallo lo sorprese con un vasetto di carciofini che gli avevano regalato.

«Sta andando a fare l'aperitivo?»

«Macché, ho lo stomaco chiuso, tra poco devo vedere il vescovo. Poi oggi ho pure la diretta Facebook con le Mamme di San Vito in Brasile.»

«Cioè?»

«A San Paolo c'è una comunità di polignanesi che ogni anno festeggia il nostro patrono per settimane... e giustamente vogliono la mia benedizione. Quella di ieri sera è saltata perché mi avete trattenuto, ma oggi il Brasile mi chiama.»

«Lei è proprio internazionale, padre.»

«Be', non esageriamo, ma in Sudamerica sono abbastanza conosciuto.»

«Immagino. Io però sono venuto a trovarla perché l'ho vista sconvolta ieri sera, e quindi è probabile che non siamo riusciti a dirci tutto su quel fatto. Possiamo andare da lei?»

Il prete ebbe un attimo di smarrimento ma capì di non avere alternative. Si guardò intorno e gli parve di vedere un uomo che li stava osservando, ma evitò di dirlo al maresciallo e accelerò il passo verso casa. Appena chiuse la porta, cominciò una sorta di confessione spontanea.

«Maresciallo, ieri sera ero un po' di fretta e non le ho detto che Adoración ultimamente mi stava dando una mano a pulire anche un'altra casa, quella di Monopoli.»

«Come sarebbe a dire che la stava aiutando a pulire la casa di Monopoli?!»

«Eh sì... le avevo dato la chiave e mi ero raccomandato di non creare disagio con i vicini. Tra l'altro la chiave non ha fatto in tempo a restituirmela...»

«Fermo un attimo, padre. Quando è successo questo fatto?»

«Due giorni fa.»

«Cioè la sera prima della disgrazia?»

«Sissignore.»

«E scusi, perché non me l'ha detto quando l'ho interrogata ieri sera? Non poteva essersene dimenticato.»

«Perché sa... è San Vito, io dovevo tornare alla festa... che già la gente chissà che cosa stava dicendo... e poi io questa casa l'ho ereditata da Menina... e la ragazza la pagavo in contanti, in nero... io sono anche un uomo d'immagine per Polignano, non posso fare ste figure.»

«E perché dovrei crederle?»

«Come perché? Un parroco ha il dovere morale di dire la verità.»

«Infatti ieri sera ha quasi negato di conoscere Adoración. Non è che la conosceva troppo bene?»

Padre Gianni era in difficoltà.

«Ma no, maresciallo, mi deve credere, anzi... oltretutto ora avrei proprio bisogno di recuperare quella chiave.»

Clemente da un lato avrebbe voluto prendere il prete e portarlo in caserma, dall'altro era pur sempre il suo parroco per cui nutriva un pizzico di timore reverenziale. Scrisse un messaggio veloce a Perrucci, prima di riprendere con le domande cercando di non farsi condizionare da ciò che aveva scoperto.

«Quante volte ha visto la ragazza?»

«Un paio. Solo per farle fare le pulizie e spiegarle come sistemare l'appartamento.»

«Ma tra lei e la signora Adoración c'è mai stato un contatto... diciamo... umano?»

«Io non accetto che a un prete si facciano queste domande.»

«Invece gliele devo fare.»

«Non insista. Sono una persona seria.»

Il maresciallo desistette per evitare lo scontro.

In quel momento suonò il campanello. Era l'appuntato Perrucci: in mano aveva la chiave non identificata trovata nella borsa di Adoración. Il maresciallo la prese e la mostrò al parroco.

«È questa?»

«Sissignore.»

«Bene, allora adesso mi fornisce l'indirizzo esatto di questa casa e vediamo se scopriamo qualcosa di interessante. E se le viene in mente qualcos'altro su Adoración, me lo comunichi o senta direttamente Perrucci che è informato su tutto.»

Al tono serioso della conversazione tra il maresciallo e padre Gianni faceva da contraltare il racconto del compleanno di Gaia che Nancy stava riportando alla De Razza.

«La festa di una bambina piena di vecchi, ha presente?»

«Per vecchi cosa intende?»

«Dai trentacinque in su.»

«Quindi anche io sarei una vecchia secondo lei.»

«Be', lo è, senza offesa. È un fatto anagrafico. Poi c'è gente come Madonna che sembra mia sorella, ma è un'eccezione. Io sono già in paranoia per quando avrò vent'anni, si figuri... anche se con Tony mi sento molto più matura. Lui ne ha ventiquattro.»

«Fa il calciatore, giusto?»

«Sì trequartista del Rutigliano. A volte falso nove.»

Nancy, che si sentiva una vera WAG modello Victoria Beckham, parlava di ruoli calcistici senza averne la minima cognizione.

«Siete insieme da molto?»

«Quanto tempo ha, brigadiera? Perché la nostra è davvero una grande storia d'amore.»

Agata fece fatica a trattenersi ma riuscì a non ridere: aveva davanti una ventenne con un brufoletto in fronte da schiacciare che parlava con il piglio di una donna matura.

«Vede... Sono stata per molto tempo la sua amante segreta, ma da subito ho capito che ero la ragazza giusta per lui. Noi eravamo l'incastro perfetto. Solo che lui all'epoca non era pronto. Sono stata una vittima, ho lottato, ma ho vinto. Era solo questione di esperienza, noi donne cresciamo più in fretta.»

«Quanto è vero, Nancy... ma diciamo che oggi sono qui per

capire meglio che impressioni ha avuto della festa prima di andarsene.»

«Glielo ripeto, una festa di vecchi... io poi avevo il telefono scarico e avevo finito i giga, per cui può immaginare il mio stato di depressione. Per fortuna che avevano il wi-fi, che comunque fuori prendeva male. Anche per quello poi me ne sono andata via prima.»

«Ma Tony era invitato?»

«Lui fa parte di me, ovvio. Ma aveva l'allenamento, la prossima settimana ha una trasferta importante... a Grottaglie.»

«Capisco. Ma, a parte i vecchi, ha notato qualcosa di strano?»

«Be'... nessuno faceva video o stories a parte Orlando e Daniela, che poi sono quelli con cui ho qualcosa da dire, abbiamo anche parlato un po'.»

«Di cosa?»

«Di Instagram. Io vado pazza per Abu Dhabi.»

«La città?»

«No, il filtro per le foto. Solo le vere influencer lo usano.»

«Immagino. Ma lei ha saputo cos'è successo, vero?»

«Oddio, mia madre mi ha raccontato.»

«Cosa le ha detto?»

«Della disgrazia e dello shock... piangeva, poverina. Ma si vede che quello era il destino di Adoración.»

«La morte causata da qualcuno non è proprio destino.»

«Per me è tutto legato al fato, come dicevano i greci. Da quando ho ritrovato Tony ne sono convinta.»

Agata tirò fuori la foto dell'intruso e la mostrò a Nancy che la guardò con attenzione, facendosi seria.

«Mamma che brutta qualità questa foto! Dovreste aumentare un po' il contrasto e la nitidezza. Per quel che vedo non mi pare di conoscerlo, anche se ha delle orecchie particolari, io sono fissata con le orecchie. E poi con quel cappello non si capisce molto...»

Agata fu molto sorpresa nel vedere una ragazza apparentemente superficiale mostrarsi così professionale davanti a una foto. Glielo disse, dando a Nancy la possibilità di rivelarle con chi avesse a che fare.

«È il mio lavoro. Sono la prima influencer di Polignano.»

«Sì, sì, questo ci era già noto.»

Nancy avrebbe voluto abbracciarla per l'emozione: ormai era conosciuta anche dalle istituzioni. Alla brigadiera sarebbe piaciuto chiacchierare ancora con lei, ma Perrucci intanto l'aveva avvisata che Daniela Loperfido era arrivata in caserma, mentre il maresciallo stava già sentendo Orlando Scagliusi.

## 26

Orlando Scagliusi era l'avvocato di famiglia e il bello di casa e mai avrebbe pensato di trovarsi interrogato dal maresciallo con la canotta sotto la camicia e gli occhi più verdi del paese.

Quando Perrucci lo fece entrare nella sua stanza, Clemente li guardò come se avesse visto arrivare due attori. Si ricordava Orlando da bambino per le vie del centro, ma per quanto gli sarebbe piaciuto dirglielo preferì stare sulle sue.

Lo fece accomodare sorridendo e gli ordinò un caffè per metterlo a suo agio: i belli hanno privilegi perfino in situazioni come quella.

«Lei che studi ha fatto?»

Orlando, prima di rispondere, fece un piccolo sorso.

«Ho frequentato il liceo classico, poi mi sono laureato in Giurisprudenza a Bari... ho dato gli esami di Stato e ora sono avvocato sia civilista che penalista...»

«Allora sta apposto.»

«Be'... però, maresciallo, la situazione di ieri sera era assurda!»

«Non facciamo commenti, giovanotto... mi racconti prima che rapporto ha con la sua famiglia.»

Orlando spalancò i suoi occhi neri e cominciò a raccontare.

«È stato un rapporto complicato per via della mia omosessualità.»

«Ah, lei è gay, è vero.»

«Sì.»

Il maresciallo finse di non ricordarlo.

«Adesso lo sa e lo può scrivere nel verbale...» disse Orlando con tono scherzoso, ma Clemente si fece serissimo.

«Guardi che io a Bologna facevo sempre servizi al Cassero... e da giovane sono pure andato una volta alla serata Muccassassina a Roma!»

«Be', lei è proprio avanti. Non l'avrei mai detto.»

«E perché?»

«A vederlo sembra il classico statale che aspetta la pensione. Come in quel film di Checco Zalone, ha presente?»

Il maresciallo si sentì sprofondare: era lui. Provò a cambiare discorso.

«Questa sua omosessualità ha reso tesi i rapporti con i suoi?»

«Tesi no, perché mi ero costruito un mondo parallelo con una finta fidanzata, Daniela Loperfido, ma ormai tutti lo sanno. Ho fatto il coming out al matrimonio di mio fratello Damiano.»

«Ho saputo di questo fatto... e stavi pure con il figlio della signora Labbate, Mario, quello di Mondo Mocassino.»

«Vedo che lei conosce la mia vita meglio di me.»

«Sono maresciallo, ma sono sempre polignanese, *e capeit?* Ma adesso come va con lui... tutto bene?»

«Sì, per fortuna ci siamo ritrovati. Stasera dovrebbe venire anche lui al concerto dei Sosia. Ma lo fanno, vero?»

«Sì, sì, dopo la processione lo fanno. Ma Daniela Loperfido è lesbica?»

«Sì, maresciallo.»

«E i genitori di lei?»

«I suoi stanno a Torre a Mare e sono fissati con la famiglia reale inglese.»

«Sì, li conosco. Ma come l'hanno presa?»

«Bene. Quando gliel'ha detto si sono bevuti un tè.»

«Così si fa! E che mi dice di Adoración?»

Clemente si fece attento a osservare Orlando, che per un attimo si mise a fissare il calendario dei carabinieri appeso al muro.

«Non la conoscevo bene. La vedevo sempre quando venivo da mia madre, molto gentile... forse troppo.»

«In che senso?»

«Sembrava che mi volesse compiacere. Ad esempio, mi chiamava sempre "signor Orlando"... e a me suonava un po' fake.»

«Un po' cosa?»

«Un po' finto. Un po' affettato... ma forse lei non sa che noi Scagliusi siamo gente alla buona, solo un po' arricchiti. Però ora che ci penso le devo dire che l'ultima volta Adoración mi ha fatto una domanda strana.»

«Ma quando?»

«Tre o quattro giorni fa. Sono passato qui da mia madre e a un certo punto mi ha portato di là perché voleva chiedermi un parere legale.»

Il maresciallo aspettava che andasse avanti, mentre Orlando si prese il tempo per finire il caffè.

«Cosa voleva?»

«Mi ha chiesto se ci potevano essere dei problemi con la legge perché una sua amica gelosa del fidanzato aveva sbirciato il suo telefono e scoperto dei video compromettenti...»

«In che senso compromettenti?»

«Non me l'ha raccontato... Solo che mi ha chiesto se copiare i contenuti di un altro telefono è reato.»

«E lei cos'ha risposto?»

«Certo che è un reato... poi se sono immagini intime ora c'è tutto il discorso del revenge porn... Ma quando le ho chiesto come mai voleva saperlo mi ha detto che era solo una curiosità della sua amica... e ha cambiato discorso. Io non ci ho fatto troppo caso, ma mi è sembrato strano.»

«E perché non è venuto a raccontarcelo spontaneamente?»

Orlando rimase spiazzato.

«Non pensavo fosse una cosa importante.»

Il maresciallo si era fatto particolarmente scrupoloso e ogni tanto scriveva qualcosa sul suo bloc-notes.

«E secondo lei che cosa poteva essere successo?»

Orlando prima di rispondere spostò la tazzina sul tavolo.

«L'idea che mi sono fatto è che la cosa riguardava lei, non una sua amica. E poi lei non sembrava avere amiche.»

«Come fa a saperlo?»

«A sensazione. È il tipo di persona che vive un po' in un mondo tutto suo, con la famiglia lontana, e conosce solo altre badanti.»

«C'era qualcosa che le dava fastidio di lei?»

«No, credo che in fondo fosse una brava ragazza in mezzo a qualche guaio che però non riesco a immaginare.»

«Per quello ci siamo noi carabinieri.»

Il maresciallo, dopo averlo detto, si toccò le palle senza farsi notare: era sempre stato scaramantico e non voleva esagerare con l'ottimismo. Gli mostrò la foto dell'uomo che era stato pizzicato dalle telecamere, ma dopo averlo osservato con attenzione, Orlando disse solo: «Chi è che mette ancora i cappelli a visiera?».

27

Daniela Loperfido entrò un po' troppo sicura di sé nell'ufficio della brigadiera De Razza, che si vide davanti una bionda slanciata, con il portamento della reginetta di "Beverly Hills 90210".

Aveva un profumo particolare e Agata, per rompere il ghiaccio, le chiese quale fosse.

«È patchouli. Mi piace perché è un po' androgino, come me.»

«Non conosco» rispose la brigadiera che non voleva impelagarsi in argomenti scivolosi.

Mentre le ricordava le solite regole da rispettare, Daniela la osservava con due occhi tra lo stranito e il divertito.

«Perché mi guarda così?»

«Perché davvero non so se sono dentro un incubo o un film. E dire che non ci dovevo neanche andare alla festa, e ora mi ritrovo convocata qui.»

«E perché non ci doveva andare?»

«Perché Orlando doveva venire con il suo tipo, Mario, che però era a Lecce per l'apertura del secondo negozio di Mondo Mocassino.»

«Ma proprio Lecce Lecce?»

Era bastata quella parola per mandare la brigadiera in un brodo di giuggiole.

«Sì "Lecce Lecce", vicino a piazza Sant'Oronzo.»

«È tutta bella quella zona... poi gran parte è pedonale, non è come qui che passano ancora le macchine dappertutto.»

153

Daniela guardò Agata sempre più perplessa, e lei si rese conto che non era lì per dissertare della sua amata terra, per cui rientrò in modalità "altoatesina" e cominciò quella strana forma di intervista chiedendole le generalità.

«Io sono nata a Bari ma sarei voluta nascere da un'altra parte.»

«Tipo dove?»

«Non so, in Molise o a Udine, da qualche parte strana. A Bari sono nati tutti.»

«Io veramente sono nata a Lecce.»

«Lecce Lecce?»

Daniela sfotteva ma si fermò giusto in tempo perché la brigadiera sembrò subito irritarsi.

«Quindi mi diceva che è nata a Bari come tanti.»

«Esattamente, ma i miei genitori vivono a Torre a Mare.»

«Che tipi sono i suoi genitori?»

«Pugliesi atipici: vorrebbero vivere a Downtown Abbey. Non le dico il casino che hanno piantato quando Harry e Meghan hanno lasciato la casa reale. Vivono in un grande equivoco, ma io li amo per questo. Poi hanno saputo da poco che sono lesbica e mi vorrei anche sposare.»

«Con una donna?»

Daniela stava per dirle "è proprio una carabiniera" ma riuscì a trattenersi.

«Sì, sono ancora dell'idea che mi piacciono le donne.»

«Fa benissimo.»

«Ah... anche a lei piace la patata?»

Agata arrossì.

«Ma signora, che domande mi fa. Comunque no, sono ancora vecchia scuola, ma mai dire mai nella vita.»

«Ha mai ricevuto delle avances da una donna?»

«Signora Loperfido, forse si è dimenticata che si trova davanti a un pubblico ufficiale.»

«Ah, mi scusi, ma io quando si parla di figa perdo il senso delle cose.»

Agata scoppiò a ridere e fece fatica a trattenersi. Ormai era andata così.

«E come mai è tanto amica di Orlando?»

«Ci siamo conosciuti dalla Laurona, la trans di Bari Vecchia... non so se ne ha mai sentito parlare...»

«Di Bari vecchia sì, della Laurona no. Che tipa è?»

«Una pazza come tutte le trans, ma quanto ci divertivamo a casa sua quando andavamo all'università... così, visto che qui in Puglia se non sei fidanzato è un problema, e visto che Orlando a Polignano è pure uno Scagliusi, ci siamo messi insieme per finta nelle occasioni pubbliche: matrimoni, comunioni, battesimi... ci presentavamo insieme e tutti pensavano fossimo fidanzati. Peccato che poi ci hanno scoperto proprio al matrimonio di Chiara e Damiano, suo fratello. Orlando era sbronzo, aveva rivisto l'Innominato e così ha detto a tutti che era gay.»

«E chi è l'Innominato?»

«Questo lo può scoprire lei. Un tipo sposato che ogni tanto rimorchiava il mio amico. Si chiama Antonino ma non sappiamo il cognome. Riesce a scoprirlo?»

«Signora Loperfido, la prego.»

Daniela a sentirsi continuamente chiamare «signora» era tutta ringalluzzita.

«Oltre che signora sono anche avvocato.»

«Stavo per chiederglielo. Mi risulta che abbia uno studio proprio con Orlando Scagliusi.»

«Sì, a Bari, ci dividiamo i casi... molti dei quali umani. Ci stiamo specializzando in divorzi e soprattutto in liti ereditarie. In Puglia appena muore qualcuno partono le battaglie fino all'ultimo braccialetto. Quello è proprio il mio campo.»

«Però riuscite a essere lo stesso amici.»

«Stranamente sì. Stasera, ad esempio, andiamo al concerto dei Sosia qui a Polignano. Abbiamo bisogno di distrarci e il trash ci esalta. Lei non è sposata, vero?»

«...»

«Vabbè ho capito, non vuole rispondere, quindi no.»

Agata lasciò correre.

«E di Adoración cosa mi dice?»

Daniela sgranò gli occhi.

«Cosa le dico... che cosa assurda. Morire a causa di un soprammobile.»

«E lei come lo sa?»

«Be', così ha detto Matilde a Orlando, che poi me l'ha raccontato.»

Agata decise di lasciar correre.

«Ma mi racconti della festa... che serata è stata prima dell'incidente?»

«Una rottura di palle.»

«In che senso?»

«Un apericena, ha presente? Una roba da milanesi dello scorso decennio. Poi il giro guidato della masseria kitsch e devi dire che è tutto bello... Per fortuna che da Matilde si beve sempre bene e quindi alla fine ci siamo dati allo champagne.»

La brigadiera scriveva senza fermarsi.

«E ha notato qualcosa di strano in Adoración durante la serata?»

«Aspetti... mi faccia pensare... a un certo punto parlottava con la povera Ludmilla.»

«Be', stavano lavorando insieme.»

«Può essere, ma ho avuto la sensazione che si trattasse di una cosa che riguardava Matilde, che poi ci sta.»

«Perché ci sta?»

«Mi sembrava che la indicasse, non so perché ho notato questa cosa ma mi ha colpito.»

«Matilde che persona è?»

«Io le voglio bene, ma è pesante. Però la capisco: per tanti anni ha avuto un marito che non l'amava perché sognava Ninella e alla fine si è messa con questo Pasqualino per fargli dispetto, anche se ora stanno bene insieme. Quando Maty è nervosa non voglio immaginare la cameriera...»

«Riconosce chi c'è in questa foto?»

Daniela guardò l'immagine dell'intruso.

«Mai visto per fortuna. Che cappello orrendo.»

Agata non commentò e cercava di rielaborare ciò che stava ascoltando. Mentre pensava che qualcuno dovesse risentire Ludmilla, le cadde di nuovo l'occhio sul nome della sua teste: "Daniela Loperfido".

L'osservò in silenzio e Daniela ricambiò con un pizzico di malizia. Per la prima volta Agata fu costretta ad abbassare lo sguardo.

## 28

Dopo una giornata piuttosto impegnativa, il maresciallo tutto avrebbe voluto tranne che andare in giro per Polignano a caccia di orecchiette fresche e di un sugo già pronto da far assaggiare ai suoi ospiti: «Mannaggia a me» diceva, nessun sugo avrebbe mai potuto competere con quelli di Felicetta, ma cercava almeno di non perdere la faccia. Si era messo nei guai da solo, e da solo doveva risolvere la situazione.

Sapeva che i salentini sono sempre esigenti a tavola e tendenti alla critica al pari dei polignanesi, e questo lo metteva ancora di più in crisi. Ma quando trovò la collezione di "sughi della nonna" alla salsamenteria si sentì al sicuro. Per non sbagliare andò dal suo spacciatore di mozzarelle di Andria e già che c'era prese anche un po' di frittini in gastronomia. L'abbondanza rassicura sempre, per cui tornò a casa sollevato.

Sua moglie, intanto, aveva finito di decorare la caraffa e aveva ridato al soggiorno il solito aspetto di una casa di vacanza. In realtà, aveva stipato tutto in un armadietto alla velocità della luce come un'adolescente. Non commentò le orecchiette né il sugo pronto, si limitò a dire: «La prossima volta avvisami prima, e comunque vada il cacioricotta ci salverà».

Agata si presentò poco dopo con Gianpiero, che stava impalato e vagamente intimidito con una scatola di polistirolo piena di gelati.

Felicetta tirò subito fuori il vino perché era convinta che brindare fosse il miglior modo per iniziare bene una conversazione. Il maresciallo si rese conto che forse sarebbe stato più opportuno incontrare Agata in caserma, magari anche con Perrucci, ma ormai la frittata era fatta e tutti si abbandonarono alle orecchiette con sugo in scatola coperto dal cacioricotta. Clemente non era abituato né alle mezze misure né alle mezze porzioni, quindi esagerò. Dopo i complimenti e i cornetti, lui e Agata decisero di confrontarsi nella tavernetta, mentre gli altri due restarono in cucina a sorseggiare il solito liquore alla ciliegia di cui Felicetta andava molto fiera anche se era troppo dolce. Gianpiero era terrorizzato che lei gli riempisse ancora il bicchiere per cui iniziò a farle mille domande sul suo lavoro di ceramista. Il karaoke, intanto, chiamava Clemente come le sirene di Ulisse, ma gli bastò incrociare gli occhi di Agata per desistere.

«Ma neanche un *Cuccurucucu paloma*?»

«Se il mio ragazzo mi sente intonare "Cantami o Diva" se ne torna a Galatina direttamente stasera.»

Il maresciallo abbozzò mentre Brinkley, che era stato appiccicato alla brigadiera durante la cena, continuava a seguirla con i soliti occhi da cerbiatto.

«Adesso però concentriamoci perché qui la faccenda si fa spessa, ma confido nel fatto che i polignanesi li conosci solo tu.»

Il maresciallo sorrise: erano gli stessi consigli che gli aveva dato Maiellaro.

«Prima però dimmi com'erano le orecchiette. Perché mia moglie si è incazzata che l'ho avvisata all'ultimo e quindi ho comprato il sugo pronto...»

«Per questo ci hai messo tutto quel cacioricotta! Erano buone, dài, quasi come quelle di Benedetta Rossi.»

«E tu che mi dici dei nostri gelati? Gianpiero fa il rappresentante.»

«Erano uno spettacolo.»

Parlavano di cibo per rimandare la questione che dovevano affrontare.

«Sono contenta. La prossima volta portiamo il gelato artigianale.

In centro c'è un posto dove ogni volta lascio un pezzo di cuore e loro mi regalano sempre qualcosa.»

«Allora lo vedi che i polignanesi sono bravi?»

«Chi ha detto il contrario?»

«Be', non fai che tirare fuori questo Salento... e quanto è bello il Salento... e come si mangia bene in Salento... e il mare del Salento... e quanto è bella Lecce... abbiamo capito! Nessuno lo nega, ma non rompeteci sempre i coglioni!»

Agata sgranò gli occhi divertita e il maresciallo per la prima volta l'abbracciò. Erano mesi che la sentiva borbottare nell'ufficio di fianco e ora finalmente si era potuto sfogare. A malincuore, senza aggiungere più nulla, si sedettero al tavolo di bambù, uno di fronte all'altra, notes e computer alla mano.

«Allora a che punto siamo, Agata?»

«Ho capito un po' di cose. La Labbate ci ha aperto la pista di padre Gianni che non so dove ci porterà...»

Clemente tirò fuori la chiave dal taschino e finì la frase.

«... in casa sua a Monopoli dove Adoración è andata a fare le pulizie il giorno prima della festa.»

«Gli hai chiesto perché non te l'ha detto ieri sera?»

«Be', è sempre polignanese e pure un prete. Il sacro e il profano... poi ieri aveva la processione o forse era in imbarazzo a dire che aveva accettato una casa in eredità, che vuole pure affittare. Quindi voleva evitare che questa cosa si sapesse... già che la gente parla e sparla sempre e lui è uno che non si fa mancare niente.»

«Quindi potrebbe amare anche una come Adoración?»

«Non lo so, Agata. Ieri non ha voluto rispondere facendo l'offeso, e io non ho insistito. Certo lei al bed and breakfast di Conversano è andata per incontrare un uomo, come ti ho già detto. La proprietaria mi ha confidato che ha trovato la carta di un preservativo.»

«Altri indizi oltre alla sciarpa?»

«No, solo questa, ma credo sia importante. L'ho consegnata a Perrucci ed è pronta per essere analizzata.»

«Ottimo. Iniziamo ad avere un po' di tessere del mosaico. Io invece ho incontrato Daniela Loperfido, un bel personaggio. Ha notato che Adoración durante la festa ha confabulato un po' con Ludmilla indicando Matilde.»

«Quindi dobbiamo risentire Damiano e Ludmilla.»

«Tu da Orlando cos'hai scoperto?»

«Una cosa interessante: pare che Adoración gli abbia chiesto un parere legale, voleva sapere se chi ruba immagini intime da un altro telefono è punibile.»

«Bene, ci mancava il ricatto hard.»

«Eh, sì... ma non è detto. Domani intanto andrei a vedere la casa di Monopoli.»

«No, maresciallo, io ho una sensazione precisa.»

«Cioè?»

«Andiamoci adesso.»

«Ma è notte!»

«Lo so, ma non sono tranquilla. Le case di sera hanno sempre qualcosa da dire.»

## 29

In attesa del concerto dei Sosia, i devoti avevano seguito la processione del braccio del Santo cercando per una volta, più che la benedizione del vescovo, gli occhi di padre Gianni. Tra i curiosi spiccavano anche Orlando e Daniela, che avevano deciso di fermarsi a Polignano per il concerto sperando che rientrasse da Lecce anche Mario. Sentivano entrambi il bisogno di esorcizzare il malessere che li aveva colti.

«Orlando, ma secondo te davvero il prete c'entra qualcosa?»

«I preti sono sempre dei perfetti sospettati ma alla fine non sono mai loro.»

«Allora, visto che non c'è il maggiordomo, sarà stata Ludmilla.»

«Povera Ludmilla. Non me la immagino. Francamente non mi immagino nessuno di loro...»

«... E infatti hai visto che hanno beccato un estraneo con quel cappello orrendo. Io dalla foto non ci ho capito niente perché si vede solo un orecchio.»

La loro conversazione venne interrotta perché sul palco era salito il primo ospite della serata. Ad annunciarlo c'era Adriana, una giovane polignanese che aveva passato le selezioni di Miss Puglia e la cui massima ambizione era «lavorare nel mondo dello spettacolo», senza avere idea di cosa fare. Leggeva il copione da una cartellina ma era talmente concentrata a tenere il suo profilo migliore – il sinistro – che non badava né all'intonazione né al senso delle frasi. In particolare, quando il testo andava a capo, lei spezzava la parola come una studentessa delle elementari.

«Buonasera signore e signori e benvenuti a Poli-gnano a Mare, patria di Domenico Modugno luogo che lo ha ispirato per la can-zone *Nel blu dipinto di blu*, meglio conosciuta a tutti come *Volare*. E questa sera, per omag-giare il nostro santo patrono San Vito abbiamo invitato su questo palco i so-sia più famosi di tutta la Puglia per allietarvi con musica ed emozioni. E cominciamo con un gran-de artista riconosciuto in tutto il Sud. Signore e signori, il sosia ufficia-le di Zucchero... Rocco Sugar!!!»

Adriana lasciò il palco attenta solo a una cosa: che tutti la vedessero da destra. Per cui tornò dietro le quinte con una postura quasi picassiana, perché il corpo si muoveva in una direzione e la sua testa restava tendente all'infinito, come se cantasse *Walk Like an Egyptian*.

Daniela era letteralmente entusiasta e quasi innamorata di quella fanciulla così incapace, mentre Orlando era pazzo dei Sosia che prendeva terribilmente sul serio. Rocco Sugar, poi, era richiestissimo ai matrimoni e per prenotarlo ci volevano mesi. Era praticamente uguale a Zucchero, solo con una voce migliore, il che lo faceva apprezzare ancora di più. La sua versione di *Senza una donna* fece commuovere tutti, grazie anche a una corista che era la versione locale di Lisa Hunt.

Il pubblico della piazza era variegato e pieno di giovani, soprattutto perché quella sera non c'era altro da fare e quella era una bella occasione per stare insieme. I "vecchi" e i bambini presidiavano invece i tavolini dei locali intorno, mandando in tilt i camerieri. In mezzo alla folla, felice per aver ritrovato definitivamente il suo amore, c'era anche Nancy con Tony. Girava abbracciata a lui a testa alta, molto più attenta a guardarsi in giro che ad ascoltare le canzoni di Zucchero.

«Ma tua madre non viene, vero?»

«No, se n'è rimasta a casa. È ancora sconvolta e poi Adoración noi la conoscevamo... fa molta impressione quando muore qualcuno.

Capisci che la vita davvero non ha un senso. Vorrei poter scegliere io quando morire... non che lo decida il caso.»

Tony non voleva avventurarsi in un discorso sul senso della vita per cui sparò una massima sempreverde.

«Il destino è destino.»

«È vero, Tony. Quanta verità.»

Nancy si rese conto di essere davvero innamorata perché gli avrebbe dato ragione su qualunque banalità avesse detto. Lui, in realtà, cercava solo di capire se la casa era libera perché Ninella a volte se ne andava a dormire da Mimì e loro potevano starsene tranquilli. Ma Nancy era tanto maliziosa quando pubblicava le storie su Instagram quanto ingenua se si trovava davanti il calciatore che le aveva rubato il cuore.

La serata, intanto, proseguiva sul palco con Adriana in un nuovo look ma con la stessa postura da geroglifico: indossava un abito rosso con le frange che sembrava un vestito di carnevale da ballerina di flamenco.

«E dopo aver apprezzato la bellissima vo-ce di Rocco Sugar, adesso è il momento di un altro grande sosia... un imitatore formi-dabile che ha passato la preselezione di "Italia's Got Talent". La sua imitazione è apprez-zata anche in altre regioni... direttamente da Mola di Bari, è qui con noi Mr Carrisi!»

Un lungo applauso accolse l'arrivo di un simil Al Bano anni Novanta, con più capelli e gli stessi occhiali. Aprì con una versione remix di *Nostalgia Canaglia* ricevendo una specie di ovazione dalla platea, che iniziò a muovere le mani in alto senza fermarsi, simulando le vere emozioni di un concerto.

Nancy tirò fuori il telefono per fare un video a tutte quelle braccia alzate. Quando si voltò, tutti la guardarono pensando di essere protagonisti di una delle sue celebri storie su Instagram. Fu a quel punto che ebbe un déjà-vu: si bloccò terrorizzata, ma riuscì a mantenere la calma. Aveva notato una persona che conosceva solo di vista, con le orecchie un po' particolari. L'orecchio a punta era proprio il suo e, soprattutto, anche se era vestito di azzurro, il cappello con la visiera era lo stesso. Era lui l'uomo nero! Aveva memorizzato ogni dettaglio quando la brigadiera le aveva mostrato le foto. Fu tentata di dirlo subito a Tony ma ebbe la sensazione che il tipo se ne fosse accorto e la stesse osservando. Nancy iniziò a pensare che, come aveva fatto con Adoración, l'uomo avrebbe ucciso anche lei. Guardò in giro in cerca di aiuto, fino a che vide Orlando e Daniela che facevano la ola inneggiando al cuore di paglia con voci così stonate che si era creato il vuoto intorno. Nancy prese Tony per mano e lo trascinò fino a loro.

Quando Orlando la vide, le porse il braccio e la invitò a unirsi al coro. Lei accettò solo perché temeva che un colpo di pistola potesse ucciderla. E così, facendo finta di cantare, e con la consapevolezza di essere dentro un film di spionaggio, gli disse: «Avvicinati a me ma non cantare... ascoltami... ti prego... aiutami».

«Che c'è, bambola? Fidati dello zio Orlando...»

«Credo di aver riconosciuto l'uomo nero... quello che ha ucciso Adoración... è dietro di noi... non ti girare... NON TI GIRARE!!!»

«Sei sicura? Da cosa l'hai riconosciuto?»

«Dalle orecchie... io sono fissata con le orecchie e secondo me quelle sono le sue! E poi il cappello sembra lo stesso.»

Orlando fece cenno a Daniela di coprirlo e, fingendo di abbracciarla, si voltò a cercare il tizio di cui parlava Nancy. Era un uomo di mezza età che conosceva di vista, si chiamava Ciccio, e in effetti era un mezzo delinquente. In passato ci avrebbe fatto volentieri un giro, ma gli aveva sempre messo un po' paura.

«Che facciamo?» chiese a Daniela che aveva mangiato la foglia.

«Io aspetterei l'arrivo dei Måneskin e poi andiamo in caserma senza dare nell'occhio, che dite?»

Furono tutti d'accordo e così attesero con pazienza la versione pugliese del gruppo che stava facendo impazzire il mondo: solo che, più che i Måneskin, sembravano i sosia dei Kiss. Appena li videro salire sul palco, corsero tutti insieme verso la caserma.

## 30

Quando Clemente e Agata risalirono in cucina dalla tavernetta, trovarono i loro partner che giocavano a burraco, concentratissimi sulle carte. Il maresciallo annunciò che avrebbero fatto un salto a Monopoli, ma nessuno dei due parve stupirsi o dissentire: dovevano finire la partita. Gianpiero disse ad Agata che l'avrebbe aspettata a casa, mentre Felicetta sussurrò al suo Gino solo «Mi raccomando» come se fosse un bambino. «È la seconda volta in vita mia che vedo mio marito lavorare a quest'ora» commentò a bassa voce, per tornare subito alle carte.

Il maresciallo e la brigadiera uscirono con un piglio da detective americani e raggiunsero Monopoli a tutta velocità, lasciandosi alle spalle gli ultimi bis del concerto dei Sosia. Clemente non ci metteva piede da almeno vent'anni e Agata faceva fatica a crederlo.

«Ma come? Sei tornato a Polignano ogni estate e non sei mai andato nel paese di fianco?»

«E che ci andavo a fare?»

«Sì, vabbè, poi dici a me che sono salentina integralista. Siamo tutti provinciali.»

Il maresciallo sorrise, ma Agata non se ne accorse perché era incantata da Monopoli: gli occhi di un carabiniere assomigliano a quelli di un turista curioso, che deve osservare tutto. Era tardi e i vicoli del centro storico si stavano svuotando: a differenza di Polignano, presa d'assalto per la festa, Monopoli si godeva la brezza marina di giugno. Le case sembravano appena tinteggiate, i balconi fioriti, e la luna ogni tanto faceva capolino tra i tetti.

Clemente aprì senza indugi la porta della casa di padre Gianni, che profumava di pulito con un'eco di naftalina e i due si ritrovarono in un saliscendi di gradini e stanzette. La zia Menina, che ci aveva abitato per quasi un secolo, sembrava avesse voluto fermare il tempo. In quell'appartamento, qualche tempo prima, erano andati Dora, Franco e una recalcitrante Ninella – i presunti eredi – a cercare quelli che loro chiamavano i «ricordi della zia».

Clemente accese tutte le luci con il piglio di un agente immobiliare, mentre Agata si concentrò in cucina: «Più invecchi, più stai vicino al frigo».

Clemente l'ascoltava attento ma al tempo stesso si rendeva conto che anche lei non sapeva bene cosa cercare. La brigadiera sembrò leggergli nel pensiero, mentre era appena scattata la mezzanotte.

«Maresciallo, qui potremmo non trovare niente, ma è uno degli ultimi posti in cui è stata Adoración. L'unica cosa che sappiamo è che lei era qui il giorno prima di essere colpita.»

Mesi dopo l'incursione degli eredi, la casa della zia Menina diventava un nuovo scenario dove cercare la verità su un fatto assurdo e inspiegabile. Agata iniziò ad aprire i cassetti della cucina, che conservavano ancora vecchi calendari di Padre Pio, cartelle della tombola, i programmi della festa di San Vito degli ultimi vent'anni e alcuni menu di matrimonio custoditi gelosamente, tra cui quello delle nozze di Ninella e di sua figlia Chiara. Clemente li lesse ad alta voce incuriosito: il ricevimento di Ninella era semplice e legato alla tradizione, mentre quello di sua figlia con Damiano era un trionfo di portate che terminava con la torta zebrata.

«Anche mia madre conservava i menu dei matrimoni, ma solo quelli delle persone a cui era affezionata.»

Agata intravide un'ombra di malinconia negli occhi del maresciallo che continuava a cercare tra i fogli scritti. Ne prese uno e lo lesse ad alta voce: «Ci sono persone che non basta una vita per conoscerle, e quando alla fine vedi chi sono... ti deludono sempre».

167

La brigadiera lo guardò spiazzata: «L'aveva scritto lei?».

«Sì, nel 1985. Sembra ancora attuale. Chissà a chi si riferiva.»

«Già.»

Lui intanto aveva iniziato a prendere sempre più confidenza con quegli spazi. Sotto le carte trovò una vecchia agenda rossa dove c'era segnato di tutto: farmaci da prendere, taglie di vestiti e una specie di inventario delle cose di valore che Menina aveva classificato in modo quasi maniacale. All'interno, un altro foglio bianco, con un piccolo elenco:

– casa
– trullo di Polignano
– ventimila euro

A seguire, tre sagome e un punto interrogativo.

«Questa potrebbe essere l'eredità che poi ha lasciato, giusto?»

«Sì, sono le sue proprietà citate nel testamento consegnato al prete.»

Agata guardò Clemente con aria di sfida.

«Vogliamo fidarci di un prete che non ci ha detto ciò che sapeva?»

«Be', Agata... ma se avesse voluto a questo punto si faceva intestare tutto, non credi?»

«Magari non voleva dare nell'occhio. Però hai ragione, non fissiamoci su questa pista e vediamo se riusciamo a trovare qualcos'altro di utile per noi.»

«Veramente su questa pista ti ci sei messa tu.»

Agata si sentì colta in fallo, ma da buona salentina amava le sfide dialettiche.

«Sì, perché chi mente anche su una cosa piccola dev'essere sempre sospettato, anche se è un prete.»

«Mo non esageriamo, Agata... eddai. Padre Gianni è un fanfarone ma non me lo vedo che tira un angioletto in testa alla tata.»

«E allora chi vedresti?»

Clemente non seppe cosa rispondere.

«Per me è inconcepibile che un polignanese possa commettere un gesto del genere.»

Il maresciallo si rese conto che era un'uscita poco professionale, ma lui era fondamentalmente un emotivo. Per darsi da fare, provò a guardare quella casa con occhi nuovi: si concentrò sulla camera da letto che appariva pulita e in perfetto ordine. Aprì il primo cassetto del comò e ci trovò l'inferno, come se ci fosse passato un tornado. Chiamò subito Agata.

«Hai scoperto qualcosa?»

«Non so... è come se qui qualcuno fosse passato con il Dyson.»

«Ma tu come conosci il Dyson?»

«Be', se stai con una donna barese prima o poi ti chiederà il Bimby e il Dyson: la cucina e la pulizia sono i due cardini della pugliesitudine.»

«Concordo e vedo che siamo simili anche in questo. Ma anche da voi quando muore qualcuno tutti vanno a frugare a casa sua?»

«Eh sì, non è un'esclusiva salentina. Sembra davvero che qualcuno ci sia passato di recente. E poi nell'ingresso ho trovato un'altra cosa, un sacchettino con dei medicinali... ma non so a cosa possa servire.»

«E dove sarebbe?»

Clemente tornò sui suoi passi e prese il sacchetto della farmacia di via Sarnelli.

Dentro, delle gocce per la tosse e una confezione di pillole anticoncezionali.

«Queste dubito potessero appartenere alla zia centenaria. Se guardi la data sullo scontrino, di sicuro le ha portate Adoración e probabilmente le aveva dimenticate qui. Questo ci dice che lei non aveva intenzione di avere figli, almeno al momento.»

Il maresciallo a quel punto volle controllare il sacchetto per scrupolo e vi trovò anche uno scontrino di cortesia di una gioielleria di Polignano.

«Lo scontrino di cortesia lo fai quando hai comprato o ricevuto un regalo.»

«Be', allora domattina dobbiamo andare subito alla Perla Nera per capire se Adoración c'è stata di recente.»

«Adesso direi di tornare a casa perché altrimenti Gianpiero e Felicetta ci lasciano.»

«Mi pare un'ottima idea. Sono quasi le due.»

Durante il ritorno in auto, non dissero una parola fino a sotto casa di Agata.

Quando lei rientrò in punta di piedi, si accorse che il suo fidanzato non c'era. Le salì un misto di rabbia e dispiacere, invece lui stava ancora giocando a burraco con la moglie del maresciallo.

## 31

Clemente entrò nella "casupola" e trovò sua moglie ancora sveglia che faceva un solitario sorseggiando il suo liquore alla ciliegia: «Si può sapere dove siete stati?».

«Abbiamo ispezionato una casa a Monopoli, forse abbiamo trovato degli indizi interessanti... ma tu perché sei ancora sveglia? Sei arrabbiata?»

«No, no. Ho giocato a burraco con il fidanzato della brigadiera.»

«Finora?»

«Eh sì, è appena andato via. Ci siamo divertiti, anche se lui ha un carattere un po' particolare... comunque mi fa effetto vederti condurre un'indagine. Ma perché quella poveretta è stata ammazzata?»

«Quando lo capiremo, avremo risolto il caso. E anche se non lo voglio ammettere secondo me è stato uno di loro.»

«Perché?»

«Troppe bugie nascondono una grande menzogna.»

Felicetta guardò suo marito sentenziare come un detective navigato e la cosa in un certo senso la sorprese.

«Anche Ninella ha mentito?»

«Non credo... ma tu come la conosci?»

«È la mia sarta e soprattutto è la più bella donna di Polignano, tutti la conosciamo.»

Clemente non sapeva cosa dire, mentre sua moglie continuava a ragionare su ciò che aveva sentito.

«Ci si ammazza per soldi o per gelosia, e io questa tata peruviana me la vedo morire solo per soldi.»

«Perché?»

«È venuta in Italia per amore, ma dopo pochi mesi si è lasciata, quindi non era tutto questo sentimento. Voleva farsi mantenere.»

«Ma aveva un buono stipendio e faceva tanti lavoretti.»

«E allora avrà avuto dei debiti.»

Il maresciallo era un po' indispettito dal tono di Felicetta, che lo intuì e cambiò discorso.

«Con il senno di poi, mi è spiaciuto non cucinare le orecchiette per i tuoi ospiti. Sono simpatici... la prossima volta però avvisami prima.»

Clemente gongolò per quel mezzo senso di colpa, mentre Felicetta iniziava ad addolcire lo sguardo per la stanchezza. Neanche per le feste di Natale facevano questi tour de force. Si buttò sul letto semivestita e lui, dopo essersi sbottonato la camicia, la raggiunse in canotta: voleva starle vicino e iniziò a baciarla, anche se era sul punto di crollare.

Brinkley, quando li vedeva così, di colpo faceva finta di dormire e se ne stava sotto la finestra di fronte allo scoglio dell'Eremita. Lo sciabordio dell'acqua era la cosa che più assomigliava alla voce del suo padrone, perché lo rassicurava ed era sempre lì ad aspettarlo.

Felicetta sentiva l'abbraccio di suo marito e si addormentò felice, mentre il maresciallo aveva gli occhi ancora spalancati. Troppa adrenalina e troppi pensieri non lo lasciavano tranquillo, continuava ad avere il terrore che gli togliessero la sua indagine. Aveva la fortuna che sua moglie, nel momento in cui prendeva sonno, non si accorgeva più di nulla, per cui accese l'abat-jour e tirò fuori il bloc-notes.

Al momento escludeva don Mimì ed era vicino a escludere anche Ninella, ma senza un vero motivo. Le impronte digitali sull'angioletto avrebbero ristretto notevolmente il campo sul numero di persone indiziate.

Il sonno era sparito, e lui continuava a non sapere cosa fare. Si sfilò dal letto, chiuse la porta della stanza e scese nella tavernetta. Doveva togliersi di dosso tutta quella tensione e nessuno, per lui, era più efficace di Renato Zero. Scelse *Triangolo*, perché l'attacco gli ricordava una ex che si era fidanzata con un suo amico, e lui non lo aveva considerato.

Sul ritornello Brinkley si permise di abbaiare e lui decise di abbassare il volume. Ma nel crescendo della canzone il maresciallo non resistette: pensando di essere su un palco davanti a milioni di sorcini, si tolse la canotta e rimase con la panza di fuori e le braccia spalancate.

Era talmente preso dall'interpretazione che, appena alzò la testa dal microfono, si trovò con l'indice alzato al cielo, l'ascella al vento e sua moglie che lo guardava esterrefatta. Gli disse solo: «*Ma tutt'a post?*» e lui tornò a letto mortificato.


Si svegliò in ritardo, sebbene fosse arrivato un maestrale da portare via e Port'Alga sembrasse il set di *Titanic* nella scena finale con DiCaprio assiderato. Felicetta l'aveva lasciato stare perché le piaceva guardare il mare in tempesta mentre suo marito dormiva, come se stesse assistendo a un doppio miracolo: la pace nel letto e la guerra là fuori.

Clemente entrò dal retro della caserma per evitare i giornalisti sempre più insistenti e venne accolto da una sorpresa. Sulla sua scrivania c'erano tutti i giornali, dalla "Gazzetta" a "Blu", con titoli cubitali: *OMICIDIO DELLA TATA: PERQUISITA CASA DEL PRETE NEL BARESE.*

Clemente non ci poteva credere. I cronisti li avevano seguiti di nascosto facendo le loro indagini parallele, e anticipando le notizie avrebbero potuto rovinare l'indagine.

Il capitano di Monopoli non attese troppo per farsi sentire, sempre più minaccioso, perché questo fatto aveva molto urtato la procura: «Ti do altri due giorni, ma guai se esce ancora qualcosa, ok?».

Anche l'amico Maiellaro aveva alzato il telefono: «La fuga di notizie è da polli. Non deve più avvenire, *e capeit?* Guardati sempre intorno, perché i giornalisti sono tremendi».

Il maresciallo era mortificato e non aveva fatto in tempo a metabolizzare l'accaduto che lo chiamò padre Gianni.

«Se mi volevate rovinare potevate dirlo: adesso tutti sanno che tengo una casa a Monopoli e la mia immagine è distrutta.»

«Veramente, padre, il problema non mi pare la sua immagine.»

«Be', per me è importante. E ora diranno pure che sono l'assassino. A questo punto arrestatemi... se ereditare una casa è un delitto io non lo so... tutto questo moralismo non lo capisco.»

Il maresciallo Clemente stava per andare in escandescenze, ma si trattenne perché Perrucci aveva fretta di parlargli.

«Padre, la devo richiamare. *Statt* tranquillo che sistemiamo tutto.»

Quando finì la telefonata, si rese conto che la caserma si era stretta tutt'intorno a lui e si sentì protetto. Stavano diventando una vera squadra.

Con una certa euforia Perrucci gli comunicò che l'intruso alla masseria era stato riconosciuto da Nancy e lui l'aveva fermato nella notte. Aveva provato a chiamarlo ma evidentemente era nel pieno del sonno. Si trattava di un ex pregiudicato polignanese con qualche precedente penale, Ciccio Longo, che aveva negato tutto per ore ripetendo soltanto: «Non l'ho ammazzata io».

«Ti è sembrato sincero, Perrucci?»

«A me sì. Lo conosco, quello... è un ladruncolo, non ce la farebbe mai a uccidere qualcuno. Ora sta qui in caserma, gli ho già fatto prendere le impronte digitali, così verifichiamo se anche lui ha toccato l'angioletto. Puoi sentirlo pure tu che sicuramente riesci a scoprire qualcosa in più, prima che i giornalisti facciano altri scoop.»

Ormai il caso di Adoración aveva investito non solo la vita di Polignano ma anche la cronaca nazionale, e alcuni inviati stazionavano fissi davanti a Villa Maty.

L'appuntato Perrucci sembrava riposseduto dallo spirito di servizio e tutto lo sport che praticava aveva sicuramente aiutato la sua resistenza fisica: continuava ad analizzare dati e tabulati e non si dava pace che fosse impossibile accedere al telefono di Adoración.

Per scrupolo aveva anche chiamato suo cugino che lavorava da un anno all'Apple Store di Napoli e che gli confermò tutto.

Il maresciallo, intanto, provò a far parlare Ciccio Longo che continuava a ribadire la propria innocenza.

Agata arrivò in quell'istante, come se avesse sentito che avevano bisogno di lei.

«Scusate il ritardo ma ho avuto un contrattempo.»

Il contrattempo si chiamava Gianpiero, che si era risvegliato con la voglia di fare la pace e l'amore e lei ne era stata felice. Aveva perso a burraco con Felicetta che gli aveva detto «Sfortunato al gioco, fortunato in amore» e lui l'aveva voluto mettere subito in pratica.

Poi, come sempre quando era di buonumore, le aveva preparato una colazione con speck, formaggio, uova e pane tostato per ricordarle il suo periodo a Bressanone, che lei portava sempre nel cuore. Si era emozionata nel vederlo con il grembiule, lui che per friggere quattro uova tirava fuori un set di pentole e praticamente tutte le stoviglie, mentre metteva su una caffettiera e buona musica. E sul tavolo, fresca di stampa, la nuova edizione della "Settimana Enigmistica". Ma quando l'aveva vista guardare nervosamente l'orologio, Gianpiero le aveva detto: «Se devi andare, vai». Lei aveva stoicamente mangiato la colazione come se nulla fosse, ma il clima era un po' cambiato.

Così la brigadiera era arrivata in ritardo e non al massimo dell'umore, anche se non era proprio il giorno giusto, visti i titoli dei giornali: «Ecco chi era che mi seguiva... maledetto cronista. Sicuro avrà fatto parlare la Labbate...». Fu però subito abile nell'entrare nella parte e sveltire le operazioni, anche se era ancora molto urtata per la fuga di notizie che riteneva deleteria per le indagini. Le bastò un'occhiata di Clemente e si sentì autorizzata a procedere, piuttosto eccitata perché quel Ciccio Longo poteva davvero aiutarli a trovare una soluzione.

Perrucci, intanto, venne mandato in avanscoperta per sapere qualcosa di più su quello scontrino della gioielleria e poi avrebbe fatto un paio di domande anche a Ludmilla.

L'appuntato passò dall'entusiasmo alla preoccupazione dell'incarico, perché con la ragazza del negozio aveva avuto una tresca in passato: lei si era prima illusa, poi concessa, infine arrabbiata quando lui era sparito. E ora se lo ritrovava davanti, in borghese, con la faccia pentita. Lo lasciò parlare, e ascoltando interessata il suo mea culpa per un po' ci credette, anche se Perrucci dovette ammettere il reale motivo della sua visita.

«Senti un po'... ma Adoración... questa ragazza che è morta l'altra sera dagli Scagliusi... veniva qui?»

«No, non era mia cliente.»

La risposta della ragazza fu un po' troppo rigida, e lui la guardò negli occhi con lo sguardo da Ape Magà dopo che ha ritrovato la mamma girando di fiore in fiore.

«Te lo ripeto. So che mi sono comportato da stronzo e sono il primo a riconoscerlo, ma adesso c'è un problema più grande della mia stronzaggine ed è la morte di questa povera ragazza. Abbiamo trovato uno scontrino di cortesia di questa gioielleria, quindi pensaci bene e dimenticati di me. Cerca di vedermi solo come un uomo onesto che serve lo Stato.»

Perrucci sapeva che quando voleva fare davvero colpo sulle persone doveva definirsi «servitore dello Stato»: funzionava sempre.

Davanti a quelle parole, la ragazza vide di fronte a sé solo la verità.

«Sì, è venuta qui tre giorni fa a cambiare un regalo che le avevano fatto.»

«Chi glielo aveva comprato?»

«E chi si ricorda? Sai, non sono una che memorizza tutto...»

L'appuntato le si avvicinò cercando di renderla ancora più complice.

«Dài, cerca di sforzarti.»

«...»

«...»

«Lo so, ma io ho paura delle conseguenze.»

«Be', ma tu ti devi fidare di me.»

«Posso fidarmi di quello che rappresenti, ma poi vedo cosa c'è sotto la divisa e mi passa la voglia.»

«Te lo ripeto, ho sbagliato... però ci siamo tanto divertiti, ti ricordi?»

Glielo disse con la voce un po' complice che a lei in fondo piaceva ancora.

«Allora, dài, dimmi chi era.»

«Mi raccomando, però, che non voglio andare a "Un giorno in pretura".»

«Rischi di andarci solo se non dici quel nome.»

«Gliel'ha comprato Matilde Scagliusi.»

«Matilde? La padrona di casa?»

«Esatto. Era venuta un po' di tempo fa a comprare un regalino non troppo costoso... aveva fatto capire che non voleva spendere tanto ma che doveva essere d'oro. Voleva fare bella figura con poco, mentre quando viene a scegliere le cose per sé viaggia su smeraldi e altri tipi di gioielli. Mi ha fatto un po' strano che acquistasse un ciondolo a forma di cuore per un'amica, anche perché in genere quando si fanno i regali si dicono i nomi, si spiega meglio... siamo in un paese e ci conosciamo tutti, invece era venuta di fretta un pomeriggio, qualunque cosa andava bene e l'aveva preso senza perderci troppo tempo. Dopo qualche giorno, però, si è presentata Adoración e lo voleva cambiare... anche se è successa una cosa strana.»

«Cioè?»

«Non voleva veramente cambiarlo ma sapere il prezzo. Chiedeva più o meno quanto valeva e così ho dovuto dirglielo per correttezza. Le ho fatto vedere altri ciondoli, ma non le piacevano e alla fine mi ha fatto una proposta.»

«Quale?»

«Mi ha chiesto se potevo darle indietro il valore del gioiello, ma io le ho detto che sono una commerciante e che le cose vendute si possono cambiare ma non rimborsare. Lei però insisteva e diceva che aveva litigato con Matilde e non voleva niente di suo... così alla fine le ho ridato i soldi. Secondo me tra le due qualcosa c'era: ora non vorrei pensare male, però...»

«Cioè stai dicendo che tra le due donne c'era del tenero?»

«Questo lo stai dicendo tu. In tv sai quante ne dicono di queste storie. Hai visto Jodie Foster? Alle lesbiche nessuno mai pensa, sembra che non esistano. Invece ci sono, ci sono eccome. Ci sono i gay, ci sono le lesbiche e ci sono anche i bisessuali!»

«Sì, ma come mai ti infervori tanto?»

«È per il mio senso di giustizia.»

«Hai notato se aveva qualcosa con sé?»

«Il sacchetto della farmacia. Me lo ricordo perché ci dovevo andare anch'io.»

«Interessante. Ma quello che mi hai rivelato non devi dirlo a nessuno, mi raccomando. È un'informazione molto preziosa. Appena risolviamo questo bordello se ti va una sera ci vediamo... come ai vecchi tempi.»

«Quelli che tu chiami vecchi tempi erano l'anno scorso. Mi hai illuso di lasciare la tua ex... poi ti sei fatto lasciare e anziché venire da me te ne sei andato da un'altra ancora. Sei proprio un impunito.»

«In questo momento stai parlando con un appuntato dei carabinieri.»

«Va bene, appuntato. Ritiro ciò che ho detto.»

Perrucci colse l'ironia polemica ma gli sembrava molto più importante l'informazione che aveva avuto, così la salutò lasciandola un po' imbambolata perché alla fine con lui cedeva sempre.

Perrucci ebbe la prova che Adoración fosse diversa da come voleva apparire quando andò a casa di Ludmilla che, messa alle strette da quel modo di fare seducente, ammise che Adoración la sera della festa a un certo punto le aveva chiesto di tenere impegnata Matilde perché doveva fare una cosa di nascosto.

«Cosa?» la incalzò lui.

«Credo prendere suoi soldi... mi ha fatto capire che sapeva dove andare. C'erano tanti ospiti e quindi era più facile.»

«E tu l'hai aiutata?»

«Sì, perché Adoración sembrava disperata... ma tanto va la gatta al lardo che ci lascia lo zampino.»

La povera Ludmilla continuava ad amare i proverbi, che Perrucci faceva fatica a capire.

Quando tornò in caserma e riportò fedelmente quelle informazioni, il maresciallo si mostrò molto soddisfatto. Matilde aveva mentito – o semplicemente omesso – di aver donato quel ciondolo a forma di cuore ad Adoración, e Ludmilla non era così onesta come voleva apparire.

Riguardò lo schema e notò che in effetti anche Matilde, quella sera, si era allontanata dal terrazzo tra una sessione e l'altra dei fuochi. Avrebbe avuto tutto il tempo di parlarle, litigare e colpirla. Già, ma perché?

Fece una telefonata al sottotenente Maiellaro per chiedergli un consiglio, ma lui stava facendo un interrogatorio e gli disse solo: «Avanti così, *uagliò*».

Appena mise giù, convocò la De Razza: «Qui ci vuole l'intuito femminile».

## 32

Malgrado l'arresto, nessuno a Polignano credeva che Ciccio Longo potesse essere colpevole, perché «è un poveretto», dicevano tutti, mentre gli ospiti della festa venivano squadrati dalla testa ai piedi per le strade del paese: il livello di sospetto dipendeva però dal rispettivo grado di antipatia. I commenti di solito riservati a chi portava sulle spalle la statua di San Vito erano ora rivolti al presunto assassino che neanche nei gialli mediatici televisivi. Del prete invece nessuno osava parlare.

Quella che ne soffriva di più era Ninella, meravigliosa e drammatica dentro i suoi abiti scuri, che non passavano inosservati agli occhi della signora Labbate: nella sua personalissima lettura vedeva in Adoración il pomo della discordia tra lei e Matilde. Le due consuocere non erano mai state d'accordo sul ruolo da dare alla tata, che secondo Ninella metteva in confusione la bambina parlandole sempre in spagnolo.

Oltre alle due donne, la Labbate ovviamente sospettava del prete (di cui non si fidava mai totalmente), di Dora e Modesto (che vedeva come Rosa e Olindo), di Lorita (mai fidarsi di quelli di Bitonto), di Chiara e Damiano (mai fidarsi dei belli), di Pasqualino e Franco (mai fidarsi di chi tira a campare), di Ludmilla (mai fidarsi delle badanti) e perfino di don Mimì (mai fidarsi di nessuno). Cioè sospettava di tutti, ma avendo affittato la casa a Ludmilla e Adoración evitava di spargere ulteriori voci.

Agata, intanto, puntava sull'esito delle impronte digitali sull'angioletto sequestrato.

Il maresciallo l'aveva convocata in ufficio proprio mentre provava a risolvere un rebus di enigmistica per trovare la concentrazione.

«Novità?»

«Oggi pomeriggio verranno celebrati i funerali di Adoración.»

«Di già?»

«Sì, sono riuscito ad avere il nulla osta del magistrato. Così magari alla cerimonia riesco a scoprire qualcosa di interessante anche se i ragazzi mi dicono che alla camera mortuaria non si è presentato nessuno.»

«Be', saranno tutti in Perù.»

«No, i sudamericani non si muovono mai soli e fanno subito comitiva come noi pugliesi. Risulta che aveva una cugina a Sammichele che al momento non si è vista... è strano perché i peruviani sono molto religiosi e il funerale è una cosa importante. E dobbiamo capire perché Matilde era andata in gioielleria a comprarle un regalo e lei si è presentata per farsi dare indietro i soldi.»

Agata spalancò gli occhi perché di questo fatto non l'avevano ancora informata.

«Eh, sì. L'ha scoperto Perrucci.»

«Magari se li dicesse anche a me, i fatti, anziché farsi bello in giro...»

«Dài, Agata, l'importante è il risultato. Perché secondo te Matilde ha fatto questo?»

«Forse per conquistarla, per compiacerla, o per amore.»

«Questo potrebbe dircelo solo lei, ma aspetterei a sentirla.»

L'appuntato entrò senza bussare e Agata lo guardò ancora un po' seccata.

«Scusate, ma è spuntata un'altra cosa: da un'analisi più attenta dei movimenti dei sospettati, è risultato che Pasqualino ha soggiornato in un bed and breakfast di Monopoli due settimane prima del fatto. Una stanza matrimoniale.»

«Convochiamolo subito.»

«No, Agata. È polignanese. Meglio parlargli a tu per tu, in amicizia quasi... si sentirà meno braccato.»

«Dici? Mi fido di te.»

Il maresciallo rimase spiazzato. Negli ultimi anni gliel'aveva detto solo sua moglie, che poi si fidava senza dirglielo, perché la fiducia si manifesta sempre nei fatti e non nelle parole. Si sistemò la polo e uscì a piedi dal retro.

Le celebrazioni erano arrivate all'ultimo giorno di festa. In programma c'erano la processione finale e la grande sfida tra la banda musicale di Polignano e quella di Terlizzi, che si sarebbero fronteggiate davanti a una giuria di esperti come al carnevale di Rio. L'unica cosa di cui il maresciallo aveva bisogno era un altro caffè. Sapeva che Pasqualino ogni mattina faceva colazione al bar Comes, anche se magari quel giorno avrebbe saltato. Invece lo trovò lì come se nulla fosse, sebbene cambiò espressione appena lo vide.

«Allora marescià... abbiamo trovato l'uomo mascherato?»

Il barista di colpo si fece attento e Clemente invitò Pasqualino a uscire dal locale.

«Le va se ce ne andiamo a fare due chiacchiere tra uomini da qualche parte?»

Quando Pasqualino si sentì dire «tra uomini», prima di rispondere ci pensò un attimo. Si spostarono in un bar vicino a un distributore appena fuori Polignano, scelsero un tavolino un po' isolato e Clemente provò a giocare d'azzardo.

«Pasqualì... sappiamo che non ci ha detto tutto su Adoración... è vero?»

«Ma no, maresciallo... io non sono stato.»

«Non sto dicendo questo, ma non ci ha detto tutto.»

Pasqualino era sempre più nervoso.

«Non è vero...»

«Come mai è andato con lei nei bed and breakfast a Monopoli e Conversano? Un giornalista lo stava per scrivere in un articolo, ma l'abbiamo fermato.»

«A Conversano no.»

«Quindi a Monopoli sì.»

«Ma lei non si è nemmeno registrata, marescià... nessuno ci ha visto.»

«Evidentemente qualcuno vi ha visto.»

Non era vero, ma aveva funzionato. Pasqualino non era abituato a mentire.

«Sì, ma dopo quella volta a casa, fuori è successo solo in un'altra occasione e lei ha iniziato a chiedermi soldi... Quindi io all'inizio le ho dato cento euro per tenermela buona... le ho detto che non sapevo cosa regalarle perché avevo paura che se non l'avessi aiutata avrebbe detto tutto a Maty... ma io amo Maty!»

Il maresciallo lo fulminò con i suoi occhi verdi senza aggiungere una parola.

«Lo so che ho sbagliato, marescià, ma io non c'entro niente con quello che è successo a casa nostra... glielo giuro su... su...»

«Lei aveva garantito onestà durante i primi verbali e ha mentito... quindi non è più tanto credibile, Pasqualino.»

«Maresciallo, mi deve credere.»

«Io vorrei crederle, ma ora non è in una situazione facile.»

«Ma cosa dovevo fare? Lei era una bella ragazza, brava... eravamo soli a casa... e allora una volta ho ceduto.»

«E poi un'altra. E poi lei ha iniziato a chiederle i soldi.»

«Esatto. Diceva se la potevo aiutare che aveva la famiglia in Perù e mi sono sentito in dovere di farlo... *e capeit?* Per fare del bene. Noi siamo tutta brava gente.»

«Purtroppo sono in difficoltà a crederle. Verrà presto interrogato di nuovo.»

«Non mi rovini, maresciallo... qualche cazzata l'avrà fatta anche lei.»

«Questi non sono fatti suoi.»

Il maresciallo si lasciò scivolare addosso quell'insinuazione. I suoi scheletri li teneva ben chiusi nell'armadio e nessuno si doveva permettere di tirarli fuori.

## 33

Clemente e Agata decisero di fare un piccolo vertice con l'appuntato Perrucci davanti a un crudo di mare. In caserma già giravano le prime voci sui troppi tête-à-tête tra i due e la presenza di Perrucci avrebbe messo tutti a tacere.

Il maresciallo non aveva mai aperto così tanto la sua "casupola" di Port'Alga agli estranei come negli ultimi giorni. Questa volta, però, Felicetta non si era fatta trovare impreparata: aveva sistemato ogni cosa sul terrazzino che si affacciava sullo scoglio dell'Eremita, al riparo dei rumori della vita, mettendo in tavola un'insalata di pomodori alla greca e soprattutto il provolone a pezzetti, perché l'unico sapore che può tenere testa alle cozze è il provolone. Il più contento era Perrucci, che si sentiva finalmente realizzato, e per lui entrare a casa del maresciallo e assaggiare i piatti di sua moglie valeva quanto una promozione. Le onde che si infrangevano sugli scogli facevano da colonna sonora a una discussione che era molto più seria rispetto alla cornice gioiosa in cui si teneva.

Felicetta, dopo aver lasciato tutto in tavola, si defilò a dipingere un nuovo set di tazzine.

Fu Clemente a prendere la parola e iniziò dicendo: «Ora le cozze». E gli altri due, quasi sull'attenti, cominciarono ad assaggiarle prima di dedicarsi ai polipetti, agli scampi e alle noci prese in pescheria a Cala Paura.

La brigadiera non era abituata al crudo ma si sforzò di mangiarlo e ci aggiunse un sacco di provolone, come aveva consigliato il maresciallo, per non deludere le sue aspettative e per nasconderne un po' il sapore.

«Mi fa piacere vedere che gradite. Intanto, Agata, ti spiace ricapitolare tutto davanti a Perrucci?»

Il maresciallo prese il suo notes mentre Brinkley, dopo aver fatto un giro di saluti, si sdraiò ai suoi piedi in attesa di un biscottino: un carboidrato è per sempre.

Agata avrebbe passato la giornata a viziarlo, ma si limitò soltanto a qualche carezza, prima di tirare fuori le copie dei verbali e delle annotazioni di servizio.

Una telefonata del medico legale li interruppe e Clemente lo mise subito in viva voce.

«Maresciallo, senta a me. Dato che ci siamo dati una mossa, incrociando i dati delle molecole di ammonio con quelli della temperatura corporea, è emerso che la signora è deceduta fra le 22 e le 22.20 di quella sera. Il margine di errore è davvero minimo.»

«È sicuro di ciò che mi dice?»

«Al cento per cento. L'ho chiamata apposta proprio perché so che avete una persona seriamente sospettata.»

Il maresciallo mise giù e guardò Agata e Perrucci, che stavano già cercando come pazzi tra le note di servizio. Arrivò lui per primo, che lesse ad alta voce: «Ciccio Longo è fuggito dalla masseria alle 22.10».

«Ottimo. Lasciamolo ancora in stato di fermo e vediamo se di colpo si ricorda qualcosa. Tu, Agata, riprendi pure il tuo report.»

«Oltre a Ciccio Longo, che quindi non possiamo escludere, per ora abbiamo i seguenti sospettati, presenti alla festa al momento dei fuochi: Ninella, Matilde e Pasqualino, Modesto e Dora, Chiara e Damiano, oltre a Ludmilla, Franco Torres, padre Gianni e la signora Lorita di Bitonto. Dopo l'autopsia avevamo escluso Mimì Scagliusi perché più alto di 1.80. Ne rimangono dunque dodici. L'unica che non sembra essersi mai mossa dalla terrazza è Dora, anche se quando è andata via la luce pure lei, teoricamente, avrebbe potuto allontanarsi. L'hanno fatto Matilde e Pasqualino per vedere di sistemare i fuochi, Modesto, Franco e Ninella si sono spostati per andare in bagno o in un'altra stanza, Chiara e Damiano sono andati a bere, mentre non sono del tutto chiari, almeno dalle testimonianze, i movimenti della signora Lorita e di padre Gianni.»

Perrucci continuava a scrivere i nomi dei presunti colpevoli cerchiandoli man mano con la sua penna, ma ci volevano i fatti, le prove e soprattutto il movente, che era poco chiaro.

Agata con un occhio spiava il fidanzato che era online su whatsapp da mezz'ora e non le aveva ancora scritto un messaggio. Appena sentì gli occhi su di sé proseguì come se nulla fosse.

«A questo punto ci vorrebbero proprio le impronte sull'angioletto.»

Il maresciallo Clemente colse in quella frase una chiara nota polemica e così, noncurante dell'orario, richiamò il suo vecchio sottoposto e gli disse: «*Meh*, Gaspare, quanto ci vuole ancora per avere i risultati che ti ho chiesto? Non è che perché siamo di Polignano ve la state prendendo troppo comoda?».

L'altro, con la coda tra le gambe, obiettò solo: «Eh ma avete aggiunto anche quelle di Ciccio Longo» cui Clemente replicò con un perentorio «non mi interessa».

E pur essendo appagato dalla sua sfuriata da piccolo boss, si rendeva conto che ci voleva un'idea per rompere quel muro di omertà che li circondava. Fu Agata ad averla.

«Perché non sentiamo la piccola Gaia? I bambini sono la bocca della verità.»

Perrucci intervenne: «Esatto, è incapace di mentire. È quella che è stata più tempo di tutti con la tata e quindi può avere sentito o notato qualcosa.»

«Va bene, ma non coinvolgerei una psicologa se no diventa una procedura un po' complessa.»

«Come possiamo fare, marescià?»

Clemente cercò di trovare una soluzione.

«Secondo me tu, Perrucci, devi parlare con Chiara: chiedile se la bambina ha detto qualcosa di particolare, vi conoscete bene mi pare... e vedrai che si fiderà di te.»

«E se non lo fa?»

«La convocheremo noi. Ma non ce ne sarà bisogno.»

Perrucci rimase spiazzato ma Agata gli diede una pacca sulla schiena. «Dobbiamo arrivare alla soluzione del caso. E quando c'è poco tempo vale tutto. Tu, Clemente, vuoi che venga anch'io ai funerali oggi?»

«No, meglio non dare troppo nell'occhio. Ci saranno tv e giornalisti, anche se in chiesa non sono ammessi. Se i presenti ci vedono in due pensano che siamo lì per controllare le cose, invece deve sembrare una partecipazione quasi personale.»

Agata annuì, il maresciallo prese ancora un pezzo di provolone e liquidò tutti abbastanza in fretta. Doveva prepararsi mentalmente ad assistere all'ultimo saluto ad Adoración.

## 34

I funerali di Adoración furono piuttosto desolanti.

Non ci fu certo una partecipazione di massa, anzi: sembrava che tutti volessero starne alla larga, come se esserci fosse sinonimo di guai. La presenza di Clemente poi non passò affatto inosservata, soprattutto perché tutti guardavano chi guardava lui, e alla fine il colpevole sembrava proprio il maresciallo stesso. Gli invitati alla festa di Matilde erano seduti vicini, ispirati da un moto di solidarietà reciproca perché sapevano di essere sulla bocca del paese. La festa patronale stava per volgere a termine e presto sarebbero rimasti solo i riflettori puntati su di loro.

Tra i pochi presenti all'ultimo saluto ad Adoración Clemente notò una ragazza peruviana visibilmente emozionata e alla fine della cerimonia la invitò per un caffè. Si chiamava Janina.

«Mi scusi, signorina. Com'è il fatto che sta povera crista non ha neanche un'amica o un parente ai funerali? Non è normale.»

«Credo che avesse litigato con la cugina e con tutte *las amigas*...»

«E perché?»

«*Porque* non lo so.»

«E perché con lei non ha litigato?»

«Noi ci siamo sempre viste poco... poi io ultimamente avevo un po' di difficoltà a trovare lavoro e le avevo chiesto se *me* prestava qualche soldo, già che lavorava a due case, ma lei mi ha detto che doveva aiutare sua cugina e non poteva.»

«Ma quando l'ho avvisata della sua morte lei non sembrava così disperata e oggi non si è neanche presentata.»

Il maresciallo capì che c'era sotto qualcosa e chiamò Perrucci per farsi dare una mano a trovare la cugina latitante. Salutò Janina e stava per andarsene quando vide Modesto che lo attendeva fuori dal bar. Ebbe quasi l'impressione che l'avesse seguito.

«Mi scusi se mi permetto, maresciallo, ma le devo dire una cosa su cui mia moglie non è d'accordo ma è giusto così... riguarda Franco Torres.»

«Parli, Modestino, parli.»

«Stamattina presto l'ho visto a Cala Paura con uno di quei tipi loschi che non sai mai che lavoro fanno e sono mezzi delinquenti... ha presente?»

«Certo, spesso sono ex contrabbandieri. E quindi com'è finita?»

«Ho visto che parlottavano di nascosto, così mi sono avvicinato di spalle e ho sentito solo Franco che diceva "Non mi ha visto nessuno".»

«Ha fatto bene a segnalarcelo... ma perché Dora non era d'accordo?»

«Perché lei dice che dobbiamo farci sempre i fatti nostri... ma non me la sono sentita.»

«Giusto, Modesto. Grazie mille... e se scopre qualcos'altro sa dove trovarmi.»

Il maresciallo iniziava a essere stanco, e alla stanchezza si unì il suo stupore, perché quando tornò a casa la trovò stranamente in ordine, con una crostata sul tavolo e un biglietto.

"Amore mio, ho deciso di andare qualche giorno dalla mia amica in campagna... non sono arrabbiata ma sento che hai bisogno di stare solo per risolvere questo caso. Ci sentiamo dopo, ti amo sempre. Felicetta"

Per un momento fu avvolto da sensazioni contrastanti: non capiva se il gesto di sua moglie fosse nato dall'insofferenza o dalla comprensione, ma la crostata fugò ogni dubbio perché era la sua preferita.

Così si ritrovò a gestire la casa, il cane e un delitto. Ma non ebbe nemmeno il tempo di bersi un caffè perché il collega gli comunicò che nel giro di pochi minuti sarebbero finalmente arrivati i risultati delle impronte digitali.

«In Italia, l'uomo giusto al posto giusto vale più di una PEC» disse Clemente ad Agata quando la chiamò per avvertirla, e lei moriva dalla curiosità. Quando rientrò in ufficio, il maresciallo le fece posto accanto a sé.

«Bravo che hai tolto la canottiera.»

«Si nota tanto? Erano tutte da lavare.»

«Be', io l'ho visto subito. Ma stai meglio... la canotta sotto fa subito terza età.»

«Ma io sono "terza età"!»

«Dài, smettila, che quegli occhi verdi mietono ancora vittime... ho visto sai come hai guardato Ninella.»

Il maresciallo trovò solo una via d'uscita da quella situazione: arrossire. Lo salvò l'arrivo del referto che conteneva l'elenco di tutte le persone che avevano toccato l'angioletto. Il documento era accompagnato da una nota che diceva: "il numero di impronte è tale che non è possibile ricostruire la sequenza con cui l'oggetto è stato toccato". Il maresciallo lo leggeva e rileggeva, muovendo il labiale quasi come un ragazzino delle elementari.

«Allora, è venuto fuori qualcosa?»

«Come già sapevamo, Agata. Le persone che hanno toccato l'angioletto sono più di una.»

Lesse la lista con uno sguardo quasi indecifrabile:

– Dora Centrone,
– Matilde Scagliusi,
– Damiano Scagliusi,
– Lorita Loiacono,
– Padre Gianni Lilla,
– Ludmilla Parapova.

Il colpevole era tra loro.

«Cavolo, maresciallo, l'hanno toccato praticamente tutti... e Ciccio Longo non c'è.»

«Oltre a Mimì Scagliusi, ora possiamo togliere dalla lista anche Franco Torres, Chiara, Ninella, zio Modesto e Pasqualino. Tu eri convinta che fossero Pasqualino o Franco, vero?»

«Be', Franco no. Lui è abituato ai furti, questo è un omicidio maldestro. Di Pasqualino qualcosa non mi tornava, ma sono convinta che chi ha colpito Adoración non intendesse ammazzarla.»

«Delle donne che ne pensi?»

Agata lo fissò di nuovo e lui si imbarazzò.

«Dell'innocenza di Ninella non sono sorpresa. Una donna così non farà mai una cosa del genere.»

«E delle altre che dici?»

«Sono rimaste Matilde, Dora, Ludmilla e Lorita di Bitonto, che mi sembra la meno coinvolta di tutte. La povera Ludmilla viveva con Adoración e non mi pare siano venuti fuori elementi di conflitto, anzi... sembravano anche complici. Matilde poteva aver avuto qualche questione, altrimenti perché le avrebbe regalato un gioiello senza una ragione? E non ce l'ha detto. Di Dora non sappiamo molto, a meno che anche Modesto avesse una relazione con Adoración e lei se ne fosse accorta.»

«Forse è il caso che io faccia di nuovo un salto in masseria.»

«Ti è venuta un'idea?»

«Non proprio, ma vorrei vedere Matilde in faccia, già che ha taciuto un paio di cose.»

«Ed è meglio se vai solo. Io intanto vado a trovare Dora, che ne pensi?»

«Ottimo, così la tieni sulla corda. Poi vedremo come muoverci anche con Lorita e gli altri.»

Alle sei del pomeriggio i due si separarono per dirigersi ognuno verso la propria destinazione, o destino.

Quando Pasqualino sentì il suono *Brigitte Bardot-Bardot!* del citofono e si trovò di fronte il maresciallo anziché l'inviata di "Storie italiane", tirò un sospiro di sollievo, come se a fargli visita fosse andato un amico.

«Buongiorno maresciallo, come posso aiutarla?»

«Volevo fare due chiacchiere con la sua signora e rivedere la masseria... sempre se non disturbo.»

«Lei non disturba mai. Noi per la legge ci siamo sempre, vero Maty?»

Matilde spuntò dal bagno con la testa piena di carta stagnola.

«Sto facendo un trattamento per non pensare a quello che è successo... le pare normale che abbiamo i paparazzi che ci seguono dappertutto? Oggi ai funerali mi si è stretto il cuore, povera Adoración. Ha fatto bene a venire qui, perché volevo proprio la sua autorizzazione... ancora faccio qualcosa e mi arrestate.»

«Autorizzazione per cosa, signora?»

«Il salottino degli angeli. Lo dovrei aprire, lo so che è sotto sequestro, ma non trovo più l'anello che mi ha regalato Mimì.»

«Ma Mimì non era il suo ex marito?»

«Certo, ma che c'entra. L'anello mica si restituisce e io è da quando è successo il fatto che non trovo lo smeraldo... e non vorrei che fosse in un cassettino della scrivania dove a volte lo nascondo.»

«Veramente la stanza è stata setacciata e non è venuto fuori nulla.»

Il maresciallo osservò con attenzione il volto di Matilde che non cambiò espressione.

«Sì, ma io mi fido solo dei miei occhi, e non voglio più avere questo dubbio. Stavo già per togliere i sigilli stamattina ma Pasqualino mi ha fermato: «Guarda che ci mettiamo nei guai» ha detto. Ma ora che lei è arrivato sembra davvero mandato dal cielo: «Cosa possiamo fare?».

Anche Clemente avrebbe voluto rivedere quella stanza per cui, dopo averci pensato bene, si fece autorizzare verbalmente dal magistrato – lo convinse a fidarsi – e convocò subito Perrucci in modo che arrivasse con i guanti in lattice e le soprascarpe per tutti.

«Però, signora, lei può stare solo sulla porta.»

«Eh, certo, chi si muove.»

Il maresciallo attese impaziente l'appuntato sapendo che stava facendo una cosa un po' insolita, ma Perrucci quando arrivò non fece commenti, anzi. Quelli erano i momenti che preferiva. Una volta entrati, il salottino degli angeli sembrava chiuso da anni e vi regnava un'atmosfera surreale. Matilde se ne stava immobile sullo stipite per seguire le operazioni, e mentre il maresciallo le chiedeva quale fosse il cassetto dove poteva aver nascosto l'anello, lei con grande scaltrezza tirò fuori il telefonino e fece di nascosto un piccolo video: voleva una prova di ciò che stava succedendo, e sentiva di avere il diritto di filmare quella che, di fatto, era casa sua. Intanto Perrucci aprì con attenzione il cassettino da cui estrasse due piccole scatole di legno che erano già state ispezionate dalla Scientifica. Per scrupolo le controllò di nuovo davanti agli occhi attenti di Matilde. Niente. Erano vuote. Lei scosse la testa sconsolata e sarebbe voluta entrare e ribaltare la stanza, ma si accontentò della soddisfazione di aver fatto togliere i sigilli dal suo amato salottino.

Appena i due uscirono, si liberarono di soprascarpe e guanti e si trovarono davanti Ludmilla. Aveva in mano una busta che stava per consegnare a Matilde.

«Signora, io trovato questa in cucina... si era infilata sotto il mobile e non l'avevo mai vista prima.»

Era una busta vuota con l'immagine di Padre Pio che il maresciallo intercettò prontamente. La guardò rivolgendosi alla padrona di casa.

«Lei è devota di Padre Pio?»

«No, per carità, quelli sono tutti nel foggiano. Per noi esistono solo San Vito, Sant'Antonio, e Cosma e Damiano, i Santi Medici.»

«E come mai nella vostra cucina c'era una busta di Padre Pio?»

«Io non sono stata, glielo giuro sui miei figli.»

«E com'è finita qui?»

«Non ne ho idea, anche se forse Ludmilla qualcosa ne sa.»

«Chi la fa l'aspetti.»

«Ma che c'entra?»

«Non lo so, maresciallo, capisco che è comparsa questa busta ma a me è sparito lo smeraldo. Era già successo una volta a Natale e adesso di nuovo...»

«Signora non mi pare il caso di parlare così... soprattutto ora.»

«Ma almeno ho un motivo per non pensare.»

«La capisco ma ora dobbiamo scoprire cos'è questa busta che è apparsa dal nulla. Per il suo anello, porti un po' di pazienza e vedrà che magari salta fuori. L'altra volta l'aveva lasciato in bagno, ricorda?»

Matilde trasecolò.

«E lei come fa a saperlo?»

«Anche se ero lontano, sono sempre di Polignano e i fatti si sanno sempre. Ah, un'ultima cosa: come mai non ci ha detto che recentemente ha regalato un piccolo cuore d'oro ad Adoración?»

Matilde non si scompose.

«Era un premio per la sua fedeltà. Non l'ho detto perché non volevo vantarmi: noi Scagliusi siamo fatti così... la beneficenza si fa in silenzio.»

Il maresciallo non sembrò per nulla convinto ma non volle insistere. Prese la busta vuota, fece un cenno a Perrucci e se ne andò via, lasciando Matilde con qualche pensiero e senza il suo smeraldo.

Tornò a casa e si sentì ancora più solo. Brinkley non gli bastava più, gli mancava Felicetta e quel modo tutto suo di volergli bene, tra frecciatine e fritturine, mentre spennellava le sue ceramiche. Provò a prepararsi la cena ma aveva poca voglia e soprattutto continuava a pensare al delitto.

Non gli restò che aprire il freezer, visto che sua moglie amava fare scorte di ogni provvista, e per averla un po' con sé provò a lanciarsi nella frittura dei bastoncini di merluzzo in attesa che Agata lo raggiungesse per una sorta di nuovo summit con gli ultimi aggiornamenti. Visti i giornalisti sparsi ovunque, era l'unico posto sicuro.

Lei arrivò alle dieci passate e lo trovò avvolto da una nuvola di olio bruciato sulla sua poltrona di vimini, mentre rileggeva gli appunti dopo aver mangiato mezzo chilo di bastoncini indigesti.

Brinkley la inondò di feste girandole intorno come se non vedesse un essere umano da mesi.

«Lo sai perché fa così, vero? Io invece mi sto scervellando.»

«Siamo sulla strada giusta: piano piano vedrai che ne veniamo a capo.»

«Eh ma il tempo sta finendo. Pensavo di fare più in fretta...»

«Voi maschi siete sempre impazienti.»

«È il nostro bello. Intanto dimmi che impressioni hai avuto da Dora.»

«Il trullo è molto carino, tutto ristrutturato, hanno pure un'amaca fuori. Lei invece era nervosa e parlava meno del solito, come se temesse che le chiedessi qualcosa. Era molto attenta a cosa guardavo.»

«Modesto, invece?»

«Lui più tranquillo, ci ha fatto anche il caffè. Ma tu al telefono mi hai detto che hai due cose importanti da farmi vedere.»

Il maresciallo si alzò e andò a prendere la busta con Padre Pio.

«Questa era nella masseria di Matilde, l'ha trovata Ludmilla sotto un mobile e dice che non sa bene da dove sia spuntata.»

«Vuota?»

«Sì.»

La De Razza sgranò gli occhi.

«La zia Menina era devota di Padre Pio, ti ricordi?»

«Ecco dove l'avevo visto! È vero... grande Agata! E Adoración era andata alla casa di Monopoli la sera prima della festa.»

«Quindi lì dentro potrebbe aver trovato qualcosa...»

«Esatto. E poi abbiamo appena recuperato un altro elemento trovato da Perrucci. Lui con Chiara ha un rapporto di confidenza e di... vabbè su questo non indaghiamo. Gli ha consegnato un disegno della bambina.»

Il maresciallo prese il foglio e glielo mostrò come se lei potesse interpretarlo, visto che era appassionata di enigmistica.

«Qui è rappresentata una bambina che evidentemente è Gaia davanti a una casa... c'è una palla e poi una specie di barca vicino a un albero.»

«Be', non capisco cosa ci sia di strano.»

«In teoria nulla, ma quando Chiara ha chiesto alla bambina di chi fosse la casa e dove fosse Adoración Gaia ha detto che non poteva dirlo... ed è scoppiata a piangere.»

«Quindi la bambina sa qualcosa di Adoración che non vuole o non può dire... però il disegno qualche elemento ce lo dà. Questa specie di barca significa che la casa è sul mare.»

«Ora chiedo ai ragazzi di controllare meglio le telecamere fisse in città, magari spuntano fuori Adoración e la bambina. Poi Modesto ha visto Franco parlottare con un ex contrabbandiere, che chissà cosa sta trafficando...»

«Matilde invece era tranquilla?»

«Più o meno. Non trovava più un anello con lo smeraldo ed è stata tutto il tempo sulla porta del salottino degli angeli mentre lo perquisivamo.»

«Cioè avete tolto i sigilli?»

«Sì, ma ho chiesto prima l'autorizzazione.»

Agata era spiazzata dalla disinvoltura del maresciallo.

«Lo so a cosa pensi, ma se non capiamo subito chi ha commesso questo omicidio a Polignano la faccia ce la perdo io. E come se non bastassero le pressioni che ci fanno da Monopoli, il mio amico sottotenente mi ha appena scritto che vorrebbero mandare pure una squadra da Roma. Ti pare giusto?»

Agata provava una specie di tenerezza per la sua veemenza, ma aveva imparato a non sottovalutare quell'uomo che mentre diceva una cosa ne pensava un'altra.

«Dobbiamo solo capire cosa c'entrano:

– l'anello di Matilde;
– l'elenco della zia Menina;
– lo zio Franco e l'ex contrabbandiere;
– il disegno della bambina;
– la busta di Padre Pio;
– il nervosismo della zia Dora.»

«Apparentemente nulla. Per ora.»

«E i colleghi hanno rilevato qualcosa sulla sciarpa di Adoración?»

«Cavolo, la sciarpa! Perrucci non mi ha fatto sapere più niente.»

Provò a chiamarlo, ma non era raggiungibile: «Sarà a fare il cascamorto da qualche parte». Così gli scrisse un messaggio: "News della sciarpa?". In attesa della risposta, il maresciallo guardò Agata spossato.

«Intanto ti devo chiedere un'altra cosa importantissima.»

«Vai.»

«Vuoi un pezzo di crostata di mia moglie? Se n'è andata per qualche giorno da una sua amica e me l'ha preparata.»

«Ah, ecco perché non c'è... ma non avevo osato chiedere. Sì, volentieri, ho bisogno di schifezze.»

Il maresciallo la guardò risentito.

«Schifezze... nel senso di cose che non consigliano nelle diete. Io mangerei solo tacos, Pringles e Fonzies.»

Così, allo scoccare della mezzanotte i due investigatori si ritrovarono pieni di briciole e di dubbi.

«Abbiamo un'unica certezza, per ora, maresciallo.»

«Quale?»

«A tua moglie la crostata viene benissimo.»

## 35

Clemente si svegliò nel suo letto abbracciato al cuscino pensando che fosse Felicetta, sotto lo sguardo perplesso di Brinkley, che non lo mollava mai.

Pensò che quell'indagine assomigliava un po' alla sua vita, composta da elementi solo apparentemente scollegati: una moglie bizzarra, un cane fedele, la nobiltà della pesca, la tamarraggine del karaoke e l'onestà del suo lavoro. Eppure lui aveva trovato un equilibrio mescolando le carte, e forse avrebbe dovuto fare lo stesso anche per risolvere il caso.

Le troupe televisive ormai lo riconoscevano anche se si erano innamorate perdutamente di Perrucci, che però riusciva a non rilasciare dichiarazioni e Clemente era sempre più orgoglioso di lui.

«Maresciallo, pare che la sciarpa l'abbiano dovuta mandare a Roma e ci vorrà qualche giorno per avere l'esito.»

«Questi ci vogliono sabotare, vedrai.»

«Tanto ce la facciamo lo stesso. Nel frattempo ho scoperto un'altra cosa.»

«Sentiamo.»

«Sono riuscito a far parlare la cugina di Adoración a Sammichele di Bari. È stato difficile ma alla fine ce l'ho fatta, le ho promesso che una volta andiamo a bere qualcosa e sai... non ha resistito.»

«Non ti sopravvalutare, Perrucci, ne riparliamo tra qualche anno. Intanto vai avanti.»

L'appuntato incassò senza battere ciglio.

«I fatti stanno così: Adoración le aveva chiesto dei soldi in prestito e poi era sparita nel nulla... anzi praticamente se l'è svignata e le ha bloccato il contatto sul telefono. E forse non l'ha fatto solo con lei.»

«Ah. Quindi era proprio una che chiedeva soldi in giro. Va bene, Perrucci, mi raccomando continua a stare concentrato. Di' ai ragazzi di controllare meglio le telecamere fisse vicino al mare, voglio capire se hanno ripreso Adoración con la bambina. Nel caso, che mi avvisino subito» gli disse mentre gli tornavano in mente le parole di sua moglie: «C'entrano sempre i soldi».

Agata, intanto, aveva sul tavolo il disegno di Gaia e lo studiava come se fosse un rebus. Pensò che potesse essere utile andare a trovarla a casa dei genitori.

«Mi sembra una buona idea. Poi se vede solo te si sente più tranquilla, io invece vado con Brinkley al trullo così lo faccio camminare un po' e studio le reazioni di Dora quando vedrà di nuovo un carabiniere in casa.»

Clemente passò a prendere il cane che iniziava a non capirci più niente: aveva avuto sempre le stesse abitudini, e ora aveva un programma ogni volta diverso.

"Passato lo santo e sparite le bancarelle", a Polignano era rimasto solo l'amaro per aver perso la gara delle bande musicali: la storica Terlizzi aveva battuto i padroni di casa con una versione di *Bad Romance* di Lady Gaga conquistando la giuria.

Era una mattina piena di nuvole e di vento: per il labrador era gioia pura andare a spasso sul lungomare con il suo padrone mentre le signore del paese camminavano veloci per smaltire i chili in eccesso. Tra loro, sola, Ninella. Faceva una corsetta nascosta dietro gli occhiali da sole e dentro una tuta rosso Valentino che non la faceva passare inosservata. «Maresciallo, buongiorno.»

«Ninella. Non vorrei interrompere la sua corsa...»

«E chi corre più? Io ormai cammino... mi aiuta a trovare le forze. Il mare mi ha sempre fatto bene.»

«Anche a me.»

Il maresciallo deglutì mentre il cane, stranamente, non si mise a tirarlo come al solito per andare via. Per quanto fosse turbato dalla bellezza di quella donna, Clemente riuscì a mantenere un atteggiamento impassibile.

«Allora, maresciallo, speriamo di arrivare a capire cos'è successo ad Adoración.»

«Be', se tutti ci dicono cosa sanno forse ci riusciamo prima.»

Ninella si sentì tirata in ballo. Si fermò un attimo, quasi a prendere la rincorsa per una decisione che l'innervosiva da giorni. Prese il maresciallo sottobraccio con una confidenza che sorprese anche lei e lo condusse in una stradina deserta dietro Largo Ardito per non farsi vedere dalla gente.

«Io devo confessarle una cosa che non le ho detto...»

«È il mio mestiere, Ninella. Si fidi di me.»

«È stato mio fratello Franco a insistere per venire alla festa. Non l'avevo invitato io... e l'uomo che avete fermato, Ciccio Longo, è uno che sicuramente lui conosce e che frequenta, di più non so. Avrei voluto dirvelo prima ma...»

«Ma...?»

«Per una volta non ho avuto il coraggio. Mio fratello in qualche modo mi rovina sempre la vita, e non è giusto.»

Il maresciallo era talmente affascinato che l'avrebbe ascoltata all'infinito. Un messaggio lo riportò alla realtà: "Ti amo sempre. Felicetta". Riguardò Ninella e tornò a vederla con gli occhi di un carabiniere.

«Deve stare tranquilla perché l'onestà paga sempre... glielo posso garantire. Quindi ora avviso subito l'appuntato in modo che lei possa fare questa dichiarazione spontanea in caserma. Nel frattempo, la prego, non ne parli con nessuno, mi raccomando.»

Ninella abbozzò un sì e riprese la sua camminata che sembrava quasi una corsa, come se volesse fuggire da lì.

Clemente, dopo aver condiviso quelle informazioni con Agata, continuò la strada verso la casa di Dora e Modesto, anche se era un po' destabilizzato. Ninella gli aveva detto una cosa importante ma gli aveva anche fatto dimenticare, per un attimo, di essere un maresciallo. Si sentiva in colpa nei confronti di Felicetta e accelerò il passo per la felicità di Brinkley. Trovò Dora e Modesto proprio fuori dal loro trullo, mentre litigavano su come spostare l'amaca. Dora pretendeva che il marito riuscisse a piazzarla tra un ulivo e un muretto a secco sul retro, «per avere più privacy».

Quando lo videro arrivare trainato dal cane, ebbero un piccolo sussulto. Era la seconda volta, in pochissimo tempo, che ricevevano la visita delle forze dell'ordine. Dora cercò di non farsi prendere dall'agitazione, anzi salutò il maresciallo e lo invitò per un caffè, che lui accettò volentieri.

«Modesto, vai tu a prepararlo che io sto un po' qui con il maresciallo per vedere di risolvere il caso...»

Clemente la guardò con gli occhi sgranati mentre Brinkley seguiva Modesto nel trullo.

«Allora, maresciallo, avete capito chi è stato a uccidere Adoración?»

«Signora, le indagini sono ancora in corso ma stiamo interrogando l'uomo che abbiamo identificato. Forse aveva un complice.»

«Sicuro qualche rumeno che frequentava questa sudamericana. Io l'ho sempre detto: meglio meridionali che stranieri.»

«Ma signora che c'entra?»

«C'entra... perché se si stava più attenti all'immigrazione oggi non saremmo qui a discutere di questo.»

«Anche voi siete immigrati al nord.»

«Però noi sempre tra italiani. Tra italiani si può, non ci vuole il passaporto, il visto o la domanda di asilo politico... che poi sono tutti perseguitati questi! Noi ci siamo subito adeguati alla cultura veneta e ceniamo sempre alle sette e mezza, quando mia cognata Ninella inizia a pensare a cosa preparare per cena.»

«E in questo trullo vi trovate bene?»

Dora distolse lo sguardo per vedere se Modesto spuntava con il caffè. Il maresciallo non la perdeva di vista e si mostrava sorridente e impassibile. Appena si rese conto di apparire troppo nervosa, Dora decise di parlare.

«Maresciallo, senta... c'è una cosa che le dovrei dire... che non ci dormo la notte.»

«Stia tranquilla, signora. Si fidi di me e parli senza problemi.»

Modesto osservava sua moglie senza sapere esattamente cosa volesse dire. Se ne stava immobile con il caffè in mano mentre Brinkley sembrava l'avesse adottato tanto gli stava vicino. Dopo aver lanciato un'ultima occhiata al marito, Dora decise di parlare.

«Commissario, volevo dirle che noi... che io... in realtà, perché la responsabilità è solo mia.»

«...»

«...»

«Dora, la prego... mi dica cos'è successo.»

«Lo so, ma non è facile perché io non vorrei finire nei guai con la giustizia e spero che essendo noi persone perbene e di Polignano... e incensurate... e visto che la conosciamo magari lei ne terrà conto prima che scoppi lo scandalo.»

«Non si deve preoccupare, mi dica, signora.»

«Questo trullo...»

«Questo trullo?»

«Come lei sa noi lo abbiamo ereditato.»

Modesto guardava sua moglie e sbiancò, ma il maresciallo non se ne accorse.

«E quindi?»

«E quindi l'abbiamo ereditato insieme a Ninella che poi ci ha lasciato la sua parte perché i trulli non si dividono che porta male... e quando abbiamo finalmente avuto ciò che ci spettava, perché Menina ci teneva assai a mio marito, abbiamo pensato che questo posto ce lo meritavamo, è giusto?»

«È giusto. Ma non capisco il problema qual è.»

«Il problema è che questo trullo in realtà era una fregatura perché era protetto dalle Belle Arti e noi mica lo sapevamo prima, però dato che come sa qui al Sud ognuno fa come gli pare...»

«Veramente non è proprio così, ma vada avanti.»

«Eh niente alla fine abbiamo fatto dei lavori abusivi prima che diventasse edificabile... cosa che abbiamo scoperto da poco e il mio architetto mi ha detto che avendo fatto i lavori prima è un bel problema per la legge.»

Il maresciallo Clemente provò una profonda delusione, mentre Modesto per una volta guardò Dora con rimprovero per aver confessato una cosa non necessaria. Ma lei interpretava quelle visite dei carabinieri come sopralluoghi per i loro abusi edilizi, e aveva preferito giocare d'anticipo per avere le "attenuanti generiche", come si diceva nella sua testa.

«Signora Dora, come sempre i gesti di onestà vengono apprezzati, ma non credo che questo sia di nostra competenza. Comunque ha fatto bene ad autodenunciarsi, sicuramente potrebbe avere uno sconto sulla multa.»

Dora sbiancò: "multa" era proprio la parola che non poteva sentire.

«Ma come, una persona è onesta e la multa la deve pagare? Che poi ora è pure edificabile questa zona...»

«Lo so, ma non basta confessare un reato e professarsi onesti, anche se il suo atteggiamento è stato apprezzabile. Vedo di tenerla aggiornata. Adesso vado che sono di fretta... vi ringrazio per il caffè. Andiamo Brinkley, *scià!*»

Il maresciallo fece un altro fischio al suo cane che, dopo aver scodinzolato a Modesto, tornò felice da lui. La corsetta divenne presto una galoppata perché Brinkley aveva cambiato decisamente andatura: aveva l'impellente necessità di tornare a casa.

## 36

Il maresciallo Clemente non riusciva a capire cosa fosse preso a Brinkley che lo tirava al guinzaglio verso casa come la biga di Ben-Hur.

Ma a un labrador puoi chiedere tutto tranne che smettere di correre, e lui quando poteva gliele dava vinte, soprattutto se diventava insistente: i cani, pensava, vanno quasi sempre seguiti.

Appena varcarono il cancelletto della "casupola", Brinkley iniziò ad abbaiare forsennatamente verso la sua macchina.

«Ma si può sapere che cazzo ti prende oggi? Vuoi ripartire? Tutto agitato stai... manco nella narcotici stavi messo così. Non sei contento che ci siamo fatti un giro? Che ancora cadevo da quanto andavi forte?»

Brinkley, anziché placarsi, continuava ad abbaiare e appoggiava le zampe sulla macchina. Non lo faceva mai. Non poteva essere un capriccio: era un cane addestrato con un passato glorioso, per cui il maresciallo aprì la portiera davanti e Brinkley iniziò ad abbaiare e a grattare sul cruscotto: cosa gli stava dicendo?

Clemente ci pensò un secondo ed ebbe un flash: la sciarpa. Quando l'aveva trovata a Conversano l'aveva messa lì ed evidentemente era stata a contatto con Dora o Modesto, perché altrimenti non si spiegava tutta quell'agitazione. E anche se Brinkley era stato molto tempo con Modesto, Clemente pensò che forse la sciarpa che Adoración aveva lasciato nel bed and breakfast appartenesse a Dora.

Ma cosa c'entrava lei? Ogni volta che il maresciallo andava vicino a una soluzione, si apriva una nuova ipotesi.

Accarezzò Brinkley con gratitudine – e un biscottino – e corse in caserma per vedere se erano arrivate novità su quel reperto.

In paese, intanto, non si parlava d'altro e tutti, pur di partecipare alle dirette tv, avevano qualcosa da raccontare sui sospettati: «l'ho vista in televisione» era una vera e propria attribuzione di status.

La caserma di Polignano non sembrava più il solito piccolo mondo di provincia, ma aveva un sapore quasi newyorchese, con tutti i carabinieri che si muovevano freneticamente.

Appena vide spuntare Clemente, l'appuntato Perrucci gli si avvicinò di corsa: «Dov'eri finito? È da un po' che ti cerco al telefono... ero preoccupato».

Il maresciallo, per non essere disturbato, aveva messo il telefono in modalità "silenzioso". Mentre provava con i suoi ditoni a tornare raggiungibile, sentì la De Razza avvicinarsi a passi veloci: «Finalmente sei qui... non ti trovavamo. C'è una persona che vuole parlare solo con te. Ti aspetta nella tua stanza».

Clemente entrò nel suo ufficio e trovò Matilde Scagliusi accomodata alla scrivania, avvolta in una nuvola di profumo, con un'aria molto preoccupata.

«Sono venuta a costituirmi.»

Il maresciallo sobbalzò anche se non si era ancora seduto.

«Come a costituirsi?»

«Ad autodenunciarmi prima che lo scopriate voi.»

«Signora, stia tranquilla e si fidi di me. Si trova nel posto dove la verità è sacra. Cosa vorrebbe denunciare?»

«Un gesto che non dovevo commettere. Però se sono qui è perché voglio collaborare con la giustizia.»

Il maresciallo le versò un bicchiere d'acqua.

«Allora mi dica esattamente cos'è successo.»

«Dunque, non so davvero da dove iniziare. A volte l'irrazionale s'impossessa di noi e ci fa commettere le cose peggiori: non esistono più regole, non esiste più la legge, non esiste più il rispetto. Esistiamo solo noi.»

Clemente la guardava perplesso, sorpreso da quella deriva un po' filosofica. Ma non disse nulla e lasciò che andasse avanti.

«Lei, maresciallo, sa che è sparito il mio anello con lo smeraldo... ed era da un po' che qualcosa non mi quadrava. E quando ieri siete rientrati nel salottino a cercarlo non l'avete trovato. Ma dato che io non mi fidavo nemmeno di voi, vi ho fatto di nascosto un piccolo video con il telefonino perché, come dice la povera Ludmilla, fidarsi è bene e non fidarsi è meglio.»

Clemente sgranò gli occhi perché aveva avuto quella sensazione ma aveva preferito non indagare. Matilde continuava a pensare di essere dentro una serie poliziesca di Netflix mentre lui la guardava senza fiatare.

«D'altronde, anche se non si poteva, sempre casa mia è, maresciallo, questa la deve considerare un'attenuante secondo la legge.»

«Lei vada avanti e poi lo valuteremo.»

«Va bene: noi Scagliusi abbiamo sempre avuto fiducia nella magistratura, siamo anche una famiglia di avvocati... mio figlio è penalista, se sa che sono venuta senza avvisarlo è capace che si offende.»

«Signora, questa non è la magistratura ma una caserma dei carabinieri. Comunque concluda il suo discorso: ha fatto un video di nascosto e...»

«A parte che riguardandolo ho avuto una sensazione stranissima, come se ci fosse una presenza soprannaturale... dicono che succede quando i morti vanno via litigati.»

«Signora, ma di concreto ha notato qualcosa?»

«Eh, certo, altrimenti mica venivo qui a dare una scossa alle indagini.»

«Veramente lei è entrata dicendo che si voleva costituire.»

«Sì, perché se poi mi trovavate il video sul telefono chissà cosa pensavate... ma ormai l'ho fatto e alla fine ho fatto bene! Perché ho scoperto una cosa importantissima.»

«Cioè?»

«Un angioletto della mia collezione è stato spostato.»

«In che senso?»

«Quello che è stato trovato a terra vicino ad Adoración non si trovava nel posto dove è rimasto il buco. È sempre stato sul ripiano superiore, ma ora al suo posto ce n'è un altro.»

«Ne è sicura?»

«Io sono sicurissima perché so sempre dove stanno i miei angeli. E giuro su Dio che non sono stata io.»

«Signora, glielo ripeto, non è un processo e non si giura su Dio... deve solo limitarsi a dire la verità.»

«Ma questa è la verità. Quello non era il suo posto.»

«Ma lei non ha toccato niente, vero?»

«No, no per carità... ora no. Ho solo fatto il video. Ma di sicuro le mie impronte ci sono perché, fino a prova contraria, quelli sono i miei angioletti!»

Il maresciallo Clemente era sempre più perplesso. Chiese a Matilde di attenderlo un attimo e uscì dall'ufficio. Entrò nella stanza di Agata ma la trovò che urlava come una pazza al telefono: Gianpiero aveva deciso di tornarsene qualche giorno a Galatina «perché tu non ci sei mai per me» le aveva detto ferendola. Appena vide gli occhi di Clemente capì che aveva qualcosa da comunicarle e la bandiera italiana appesa alla parete le ricordò il giuramento e la sua dedizione al lavoro. Interruppe bruscamente la conversazione.

Il maresciallo riuscì a raccontarle tutto senza essere prolisso e sorvolando su quanto l'avesse snervato Matilde. La brigadiera sembrava impassibile ma al tempo stesso non si lasciava sfuggire nulla.

«È molto interessante questa cosa, comandante.»

«Tu le credi, Agata?»

«Io la verificherei subito. Per capire se ci sono altre impronte anche lì, magari sovrapposte.»

«Va bene, ma prima di allertare la procura vorrei qualche altra prova per vedere se l'angioletto prima era davvero in un'altra posizione.»

Dopo averlo detto, Clemente ebbe un'illuminazione.

«Le foto! Noi pugliesi siamo fissati con le foto... facciamo foto ovunque, comunque e sempre.»

«È vero! Chiedile se ci sono altre immagini di quella mensola da qualche parte, così avremo già una prova.»

«D'accordo, brigadiera. Noi andiamo là e ci pensiamo, tu intanto allerta la sezione investigativa.»

Quando il maresciallo rientrò nella sua stanza, trovò Matilde con gli occhi chiusi in posizione zen.

«Tutto a posto, signora?»

«Sì, sì stavo facendo meditazione.»

«Lo so, ma può farla anche dopo, adesso non abbiamo molto tempo. Lei sa se a casa sua stanno delle foto delle mensole con l'angioletto? Che so un onomastico, una festa, una comunione.»

Matilde amava le foto e farsi fotografare, ma non era da molto che erano andati a vivere nella masseria.

«Eh, bisogna guardare, anche perché io non sono come questi qua che si tengono l'album su Facebook, io le porto tutte a stampare... che sono più belle. Non tutte, ma molte sì. Ho trovato pure un'app dove io scelgo e me le spediscono a casa. Però vorrei tanto ritrovare il mio anello perché sono convinta che sia ancora là da qualche parte.»

«Prima cerchiamo di capire meglio la posizione di questo angioletto. Poi pensiamo all'anello.»

«Sì, ma come valore non c'è paragone. Uno è uno smeraldo della Colombia e l'altro è un Thun da trenta euro.»

«Signora, la vita umana non ha prezzo.»

Matilde tornò rapidamente in sé: si fece il segno della croce, si scusò e gli disse che si sarebbe subito messa a disposizione per cercare una foto della mensola.

Lui pensò che non fosse il caso di lasciarla tornare a casa da sola. Verbalizzò le dichiarazioni, chiamò l'appuntato Perrucci e andarono tutti insieme alla masseria.

## 37

Quando Pasqualino vide Matilde tornare in compagnia del maresciallo Clemente e dell'appuntato Perrucci, pensò che stesse per
accadere il disastro: Ludmilla stava finendo di cucinare il gulash
con il Bimby e lui tutto si aspettava tranne una nuova visita dei
carabinieri. I suoi occhi neri divennero immobili, come se di colpo
il mondo non gli interessasse più. Era affamato e seccato ma Matilde gli fece cenno di stare tranquillo: «Sono andata a costituirmi
perché ho fatto un video mentre loro cercavano il mio anello nel
salottino. E ora sono qui».

«Eh, ma il gulash è pronto» disse Pasqualino con aria quasi spi-
ritata.

Matilde gli lanciò un'occhiataccia e lui provò a rimediare dicendo:
«Se i signori vogliono fermarsi a pranzo da noi sono i benvenuti».

Ma il maresciallo aveva fretta di scoprire la verità e fu l'appuntato Perrucci a declinare l'invito senza un margine di trattativa.

Gli uomini della Scientifica arrivarono poco dopo: per un attimo, vennero distratti dall'odore del gulash. L'appuntato, Clemente e Matilde osservavano sulla porta la mensola degli angeli come
se si trattasse del mistero di Stonehenge: se era vero che il posto
lasciato vuoto non corrispondeva alla posizione abituale dell'angioletto trovato accanto ad Adoración, che era sempre stato sul ripiano superiore, qualcuno li aveva evidentemente spostati, ma era
difficile da dimostrare.

Matilde continuava a sostenere questa tesi senza averne le prove.

«Lei è sicura di non averlo toccato nei giorni precedenti?»

«Matilde, come Paganini, non ripete. Gliel'ho già detto: non l'ho nemmeno sfiorato... ho rispetto della legge e sono venuta subito a comunicare cos'ho notato.»

Il maresciallo le credette, mentre Perrucci mostrava una certa diffidenza e non si trattenne: «Guardi, signora Scagliusi, che lei ha fatto un video in una stanza sequestrata senza chiedere il permesso».

«Io rispondo solo al commissario Clemente.»

«Veramente sono maresciallo.»

«Comunque ci siamo spiegati e non mi piace che si puntualizzi sempre tutto. D'altronde devo trovare il mio anello e sono a casa mia.»

«Va bene signora, la capisco, ma siamo venuti qui anche per verificare ciò che ha detto. Può controllare allora se ci sono delle foto con gli angioletti sullo sfondo?»

Tornarono nel salone che in quei giorni Ludmilla aveva pulito commuovendosi più volte. Matilde aprì i cassetti dove teneva piccoli album di fotografie, ma in effetti di quelle nella masseria nuova ne aveva fatte stampare pochissime. Fu il maresciallo a ricordarle la cosa più semplice: «Ma scusi, lei non fa le foto con il cellulare come tutti quanti?».

Matilde strabuzzò gli occhi, ma quando lo vide pronto a sequestrarle il telefono, iniziò a «sfogliare la gallery», disse proprio così.

Di colpo, si creò un piccolo crocchio intorno al telefono di Matilde, che scorreva con un certo imbarazzo le sue foto personali: piatti appena preparati, molti tramonti, primi piani della bambina e tanti, tantissimi selfie. La Ferragni di Polignano. E mentre guardava velocemente i suoi ritratti cercando di evitare che quello strano pubblico si soffermasse sulle sue espressioni, ne trovò una in cui mandava un bacio semisvestita che aveva fatto proprio davanti a quelle mensole.

«Ecco qui! Che vi avevo detto? Di sopra stava l'angioletto trovato a terra, non di sotto. Sono sicura! Sono sicura!!! Qualcuno l'ha rimesso a posto... ma nel posto sbagliato!»

Tutti osservarono esterrefatti il telefono e, in effetti, Matilde aveva ragione: quella foto era stata scattata un mese prima, lo diceva chiaramente la data impressa sopra. Il più sorpreso, però, era Pasqualino che, pur non essendo propriamente autorizzato ad assistere all'operazione, aveva preferito stare vicino alla sua donna per non farsi tentare dal gulash. Ma era rimasto basito nel vedere la foto della sua compagna che mandava un bacio ammiccante all'obiettivo.

«E a chi l'hai mandata questa foto, Maty?»

«Mah... a nessuno. Le ho fatte da sola un po' per giocare.»

Non riuscì però a essere credibile, anzi il maresciallo con una scusa le chiese se poteva accompagnarlo fuori. Poi a voce bassa le disse: «Pasqualino ha ragione: a chi mandava quella foto? Nessuno si fa i selfie così».

«Maresciallo, qui lo dico e qui lo nego: ho un corteggiatore... uno che non ho ancora incontrato... è una cosa innocente... lui è giovane e gli piacciono le milf come me.»

«Le che?»

«Le milf. Le donne più grandi.»

«Ah non lo sapevo.»

«E così ogni tanto ci mandiamo delle foto e dei messaggi un po' spinti, diciamo così. Ma questa foto mi ha messo nei guai.»

«E perché?»

«Perché questo ragazzo su Tinder si chiama "Adolfo" e io per sbaglio l'ho mandata con un messaggio ad Adoración...»

«Che messaggio?»

«Ho scritto: "Sono tutta tua".»

«Ommadonna. E Adoración che ha fatto?»

«Be', ha capito tutto e ha iniziato a dire... ma il signor Pasqualino conosce questo Adolfo? E mille altre insinuazioni. Io le ho chiesto di mantenere il segreto e lei diceva sì ed era un po' vaga... così sono andata in gioielleria e le ho preso un ciondolo, perché se le davo i soldi poi era peggio.»

Clemente ascoltava, mentre la sua testa rimetteva in ordine tutti i tasselli del puzzle.

Intanto gli uomini della Scientifica erano usciti e avevano mandato ad analizzare con urgenza l'angioletto incriminato, mentre il maresciallo faceva quattro passi verso il bagno rock, cercando di immaginarsi nuovamente la scena di quella sera. Gli venne in mente che Modesto aveva notato che, all'uscita dal bagno, Franco non era andato a destra, come sarebbe stato logico, ma a sinistra, dove c'era la camera da letto di Matilde e Pasqualino.

«Lei, Matilde, dov'era solita tenerlo questo anello?»

«Quasi sempre in camera. In realtà quella sera avevo deciso volutamente di non indossarlo perché Mimì veniva con Ninella e non mi sembrava il caso... poi a volte per un anello le famiglie vanno anche a "Forum", e io non voglio finire in televisione. Così l'ho lasciato in camera, nel portagioielli che in realtà contiene quasi solo bigiotteria perché le cose di valore le porto sempre addosso.»

Quando il maresciallo vide l'interruttore della luce nel corridoio antistante la camera da letto, gli venne un'idea e la confidò a Perrucci.

«Secondo me il furto dell'anello è stato architettato da Franco Torres.»

«In che senso?»

«Lui è andato in bagno prima di Modesto che lo vede dirigersi verso la camera di Matilde. Si sa muovere veloce e ci sta che sia entrato per cercare qualcosa... magari Adoración l'ha visto, ma perché l'avrebbe colpita nel salottino?»

Perrucci non voleva fare brutta figura e si sentiva un po' Agata.

«A meno che l'anello fosse nel salottino degli angeli, ma Matilde non mi sembra una che sbaglia... a parte quando manda i messaggi whatsapp. Secondo me Franco era d'accordo con Ciccio Longo per fregare un po' di cose. Ha lasciato la porta socchiusa per farlo entrare, ha approfittato della confusione dei fuochi, gli ha passato l'anello dalla camera, ma l'altro a un certo punto deve aver visto arrivare Ludmilla e se l'è data a gambe, lo vediamo dalle telecamere... non so se con o senza lo smeraldo.»

«Giusto. La prima cosa da fare, adesso, è perquisire casa di Franco. Chiamo il procuratore per avere il decreto e vai lì con una pattuglia. Che dici?»

«Dico che io per queste cose ci sono sempre.»

Detto, fatto.

Il procuratore di Bari autorizzò subito la perquisizione perché stava litigando con la moglie abbronzata e si fidava sempre più della "nuova coppia" di investigatori polignanesi: così ormai li definivano in caserma, e a soffrirne era soprattutto l'appuntato Perrucci, che malgrado l'impegno e i risultati pativa dei pregiudizi nei suoi confronti. Matilde li vide andare via di corsa con grande soddisfazione di Pasqualino, che poté finalmente dedicarsi al primo gulash della sua vita.

Fu l'appuntato, insieme a un paio di colleghi, a piombare a casa di Franco, che si trovava in intimità con due delle sue badanti che in paese chiamavano le Matrioske, perché erano due sorelle un po' tarchiate originarie di Minsk che, appena videro arrivare i carabinieri, provarono a scappare seminude dalla finestra.

Franco si mostrò subito arrendevole e collaborativo, mentre la matrioska più piccola diceva «noi un po' zoccole ma no ladre!» lasciando interdetti i carabinieri.

Perquisirono per l'ennesima volta la piccola casa del centro storico che ormai conoscevano bene, viste le volte in cui ci erano stati, mentre le uniche parole che Franco osò pronunciare furono: «Ninella mi ammazza».

Dalla perquisizione venne fuori anche una fornitura di ansiolitici che Franco vendeva online senza ricetta: «siamo tutti depressi», fu l'unica spiegazione che diede. In cucina i carabinieri trovarono quello che stavano cercando. Dentro un barattolo di ceramica con su scritto "Sale", oltre a ottocentocinquanta euro e assegni in bianco, c'era un anello con uno smeraldo identico a quello di Matilde.

Prima di essere portato in caserma, Franco espresse un ultimo desiderio.

«Ma non posso prendere almeno un caffè con le ragazze? È da giorni che programmavamo questo incontro.»

Un caffè a Polignano non si nega a nessuno, nemmeno a due matrioske svestite, e alla fine i carabinieri cedettero.

## 38

Franco capì la gravità della sua situazione quando in caserma trovò ad attenderlo il maresciallo Clemente e la brigadiera De Razza.

Appena Perrucci con sguardo fiero consegnò l'anello, il maresciallo lo prese in mano e lo osservò con attenzione: era identico a quello della foto che gli aveva lasciato Matilde. Attese che a parlare fosse Franco.

«Maresciallo, non so da quanto tempo stava a casa mia...»

«Invece lei lo sa bene, e se non lo sa glielo dico io. Dalla sera della festa di Matilde, sera in cui ha costretto sua sorella Ninella a farla invitare al compleanno con un piano preciso.»

Franco non si scomponeva. Era abituato agli interrogatori e in tanti anni di domande aveva imparato che bisogna essere fedeli alla prima versione e non agitarsi mai. La calma è la virtù dei colpevoli.

«Questo lo dice lei, maresciallo.»

«Questo lo dicono Ninella e le telecamere che l'hanno inquadrata mentre usciva dal bagno ed entrava in camera di Matilde.»

Franco si sentì spacciato.

«Sì, ma non sapevo che funzionassero le telecamere dentro! Mi avevano detto che erano finte... Ma ho fatto solo quello. Che poi hanno tanti di quei soldi che un anello in più o in meno cosa cambia... e poi lo teneva proprio lì, a portata di mano.»

«Certo, ma se Matilde avesse voluto gliel'avrebbe regalato, invece lei se l'è preso direttamente. L'aveva già puntato? Le conviene dirci la verità, perché abbiamo registrato tutto. E dai tabulati telefonici è evidente che lei fosse d'accordo con Ciccio Longo, a cui ha lasciato il cancello socchiuso. Lui ha visto arrivare qualcuno che l'ha fatto scappare, e lei è rimasto con l'anello in mano che poi ha cercato di rivendere ieri a un ex contrabbandiere a Cala Paura.»

In anni di indagini, Franco Torres non si era mai sentito così "scoperto" come in quell'occasione, ma cercò di ridurre al minimo il danno.

«In effetti avevo adocchiato quella scatola quando abbiamo fatto il giro con Matilde, che poi che cosa fai vedere casa quando tra gli ospiti ci sta uno come me... l'occasione fa l'uomo ladro, si sa. E pure Ciccio Longo aveva bisogno di soldi.»

«Certo, rubandoli.»

«Eh, ma quello sa fare lui.»

«La prego, non mi faccia innervosire. E mentre Matilde vi mostra la casa lei vede pure dove sta l'interruttore...»

«Ovvio. L'ho staccata io la luce. Ma non c'entro con la morte della domestica.»

«Adesso si ricorda tutti i particolari, vedo. Noto solo ora che la chiama "domestica", ma lei Adoración la conosceva bene.»

«Io non ci ho mai avuto a che fare. Era una che voleva fare soldi un po' come me, ma due che imbrogliano non possono stare insieme, altrimenti li scoprono.»

«Lei però è morta.»

«Io non ne so niente. So solo che io non sono stato.»

«Lei ha detto che non c'entrava neanche con la sparizione dell'anello.»

«È vero ma che ne sapevo io che ci stavano le telecamere... a Matilde una volta era scappato da Lucia Coiffeur che quelle interne erano finte. Forse voleva tendermi una trappola.»

Ad Agata venne da ridere nel vedere un uomo sgamato come Franco cedere al primo tranello.

«Senta, Franco, le conviene dire la verità. Abbiamo capito che è stato un incidente e che nessuno voleva davvero ammazzare Adoración.»

«No, lei mi deve credere: io mi sono preso solo l'anello... stavo per fregare altre cose dalla camera e passarle a Ciccio, ma quello se n'è scappato via e così mi sono tenuto lo smeraldo che lo nascondi facilmente. Poi quando sono finiti i fuochi avevo paura che mi vedessero che stavo in casa... così ho tolto la luce e li ho raggiunti in terrazza. Era tutto buio, ma mi ero studiato bene il percorso.»

Agata si sentì di intervenire.

«Complimenti, conosce molto bene la piantina di quella masseria.»

«Sono sempre stato un professionista.»

«Non faccia lo spiritoso. Lei lo sa che se ha omesso qualcosa la sua posizione peggiorerà?»

«Più di così è impossibile. Ho commesso un reato e la mia fedina penale era già sporca... per cui sono solo un deficiente. Perché non avevo bisogno di fregare niente ma Ciccio è da un po' che mi proponeva di fare qualcosa assieme, siamo amici dai tempi del contrabbando! Ma davvero io con Adoración non c'entro.»

Il maresciallo guardò Agata che gli fece cenno di fermarsi. Qualcosa non le quadrava ma aveva capito che in quel momento non sarebbero riusciti a ottenere di più.

Fuori, nel frattempo, era arrivato don Mimì a portare la sua verità.

## 39

«Io so una cosa di Adoración che forse pochi sanno, e che nessuno ha ancora detto, e mi scuso se ho aspettato tanto a parlare, ma a volte c'è bisogno di tempo per guardare in faccia la realtà.»

Mimì aveva la sicurezza e il fascino d'altri tempi e Ninella non poteva che perdere la testa per uno come lui. Questo pensava il maresciallo Clemente, vagamente intimidito mentre nel tardo pomeriggio lo sentiva parlare e avrebbe voluto fargli solo domande su di lei. Ma la distrazione durò un attimo, perché presto si rese conto che quell'uomo gli stava parlando seriamente.

«Cosa ha scoperto su Adoración?»

Mimì rispose guardandolo dritto negli occhi.

«Era una ludopatica.»

«Cioè aveva il vizio del gioco?»

«Esattamente. Era schiava delle macchinette e stava sempre in un bar nascosto dietro la stazione.»

«Scusi, ma lei come fa a saperlo?»

«Perché anche a mio figlio Damiano piace scommettere. Ora non lo fa più, ma per un periodo andava sempre in quella stessa saletta. Una volta mi ha chiamato il direttore di banca per chiedermi se era tutto a posto con mio figlio, e ho capito che dovevo reagire e farlo aiutare. Un padre resta sempre un padre e, anche se da lontano, ti guarda... così ogni tanto mi affacciavo di nascosto in quella sala giochi per vedere se c'era. Invece trovavo solo Adoración: metteva le monetine in quella macchinetta con una foga che si capiva che aveva quella dipendenza. Ma non potevo neanche confidarmi in giro perché noi siamo pur sempre gli Scagliusi, non possiamo avere anche il vizio del gioco. Per questo non ero così convinto che fosse opportuno farle fare da tata alla bambina, perché quando hai quel problema pensi solo a dove trovare i soldi.»

Il maresciallo era fuori dalla grazia di dio.

«Ma scusi, Scagliusi. Noi sono giorni che stiamo cercando di capire cosa sia successo a questa poveretta... lei sa una cosa del genere e non ce lo viene a dire subito?»

«Ha ragione... Ma se lo avessi detto sarebbe scoppiato un casino, mi capisce maresciallo? So che è inconcepibile ma lei non sa quante persone di cui nessuno parla sono ridotte così. Sono sicuro che Adoración si sia messa nei guai per quello...»

Clemente era ancora terribilmente arrabbiato, ma iniziava a vedere all'orizzonte uno sprazzo di movente. Liquidò Mimì e chiamò subito Agata per comunicarle la novità.

«Cavolo, questo spiega molte cose, come l'assenza di amici e familiari al funerale. Lei aveva chiesto soldi a tutti con una scusa e poi era sparita... per giocarseli.»

«E appena poteva li ricattava: vedi i soldi chiesti a Pasqualino... la velata minaccia a Matilde.»

La brigadiera cercava di non perdere il filo di tutti i discorsi ancora aperti.

«Ma non sottovalutiamo la sparizione dell'anello solo perché Franco ha ammesso di averlo rubato. Adoración potrebbe aver scoperto il furto, visto che girava per casa e lui a quel punto potrebbe aver reagito colpendola con l'angioletto... poi ha staccato la luce per creare scompiglio ed è uscito.»

«Però lui è un calcolatore, Agata. Agisce d'impulso, ma sa quando fermarsi. Guarda come ha fatto con noi: ha provato a mentire ma quando ha capito che era incastrato dalle telecamere si è subito arreso. Comunque sull'angioletto non ci sono le sue impronte.»

«Ma sappiamo anche che potrebbe non essere quello...»

Il maresciallo incassò il colpo e restò zitto a pensare, mentre Agata non aveva finito.

«Oggi però l'hai proprio fregato: ma come ti è venuto di bluffare con la faccenda delle telecamere?»

«E vabbè, è il primo trucco del mestiere.»

«Quindi per te non è stato lui?»

«Te lo ripeto: troppo facile. Troppo astuto. Aspettiamo che arrivi l'esito delle impronte sul secondo angelo. Quando sarà pronta?»

«Se riescono già domani.»

«A quel punto ti chiederei di convocare Dora e Modesto insieme... sono quelli che mi convincono di meno. Chiediamo alla procura l'autorizzazione a una registrazione ambientale d'urgenza e li lasciamo in sala d'attesa con i microfoni accesi così li possiamo ascoltare, magari commettono un passo falso e rivelano qualcosa... però avvisami quando sono qui, va bene?»

«Sì sì. Domani lo faccio, ma ora devo risolvere un problema personale.»

Il problema personale era Gianpiero.

«Va bene, ma non possiamo perdere un minuto di più, devo chiudere il caso. Domattina io vado a risentire la signora Lorita e tu, appena li hai in caserma, fammi uno squillo.»

«Perfetto, maresciallo. Allora buon lavoro... ci aggiorniamo.»

Agata provò a tirare fuori un sorriso, lasciando Clemente alla scrivania con in mano il disegno della bambina con la barca vicino all'albero.

Appena Agata salì in macchina, iniziò a piangere senza sapere come fermare le lacrime: ogni tanto le annebbiavano la vista, mentre lasciava Polignano a tutta velocità. Doveva rincorrere Gianpiero, per dimostrargli quanto fosse importante per lei. Avrebbe potuto chiamarlo, ma sapeva che quando agiva così c'era un solo modo per provare a fargli cambiare idea: sorprenderlo.

Così prese la provinciale e iniziò a percorrerla con il cuore stretto, lei che tornava sempre sorridente verso il suo Salento. Quegli ulivi, che man mano apparivano sempre più scheletrici per via della Xylella, rappresentavano il suo stato d'animo.

Quando vide Lecce sullo sfondo si sentì rincuorata, ma Galatina era ancora lontana. Prese la strada per Gallipoli che per una volta era poco trafficata: lì c'erano la sua famiglia e i suoi genitori, che sarebbero impazziti per la sorpresa. Ma lei voleva Gianpiero. Arrivò davanti al suo portoncino: suonò. Nessuno rispose.

Riprovò di nuovo: niente.

Era tentata di chiamarlo, ma probabilmente era uscito a cena per cui non sarebbe servito. Prese un foglio di carta e scrisse di getto: "Sono venuta fino a qui solo per dirti quanto sei importante per me. Prenditi il tempo che vuoi, ma torna. Mi manchi. Agata".

Piegò il foglio in quattro, ci disegnò sopra un cuore e lo fece passare sotto la porta.

Poi si fece un selfie davanti all'ingresso e risalì in macchina sollevata. Avrebbe potuto aspettarlo, ma non se la sentì. Mise in moto e ripartì a tutta velocità. Si sentiva più leggera e sapeva di aver fatto la cosa giusta: giocarsela fino alla fine. Quando superò Brindisi, mandò un whatsapp a Gianpiero con la foto e la scritta: "C'è posta per te".

Il maresciallo intanto era tornato a casa: stanco, provato e ancora insoddisfatto. Era il momento giusto, prese la canna e la sua cassettina da pesca, fece un fischio a Brinkley e si piazzò su quello che considerava il "suo" scoglio, che gli permetteva di vedere la baia di Port'Alga da un lato e lo scoglio dell'Eremita dall'altro. C'era la marea giusta, un leggero vento, nessuno all'orizzonte. Anche Brinkley era meno agitato del solito.

Tutto sembrava immobile fino a che a un certo punto, all'improvviso, il galleggiante cominciò a muoversi. Sempre di più. Impercettibilmente e costantemente. Ma avveniva solo nella testa del maresciallo. Lui era sempre stato una persona ottimista: anche quella sera aveva scelto scaramanticamente lo stesso posto, aveva appoggiato le esche e poi la cassettina, e prima di lanciare l'amo aveva detto «*Mangn, mangn*», come ripeteva sempre suo padre. C'erano tutte le condizioni per una pesca miracolosa, ma nessun pesce abboccò. Aveva atteso invano, come un attore di Beckett che aspetta Godot, e se n'era tornato a casa tutto mogio con il suo labrador. Sul tavolo di lavoro c'era ancora la busta con l'effigie di Padre Piò che sembrava fissarlo.

Scese in tavernetta e cantò tre volte *Amico è* di Dario Baldan Bembo chiedendo al suo cane di fargli da corista.

## 40

Clemente si svegliò pensando che era a un passo dal risolvere il caso e l'ultimatum del capitano di Monopoli non scalfì le sue sicurezze. Quella spavalderia venne però criticata dal suo consigliere segreto, il sottotenente Maiellaro: «puntare in alto ma volare basso» sentenziò.

Ma il maresciallo ormai si fidava del suo istinto e neanche Brinkley riuscì a distrarlo, concentrato com'era su tutti gli scenari aperti che aveva a disposizione.

Dopo il caffè si diresse a passo spedito a casa della signora Lorita: lei era alla finestra e sembrava che lo stesse aspettando. Gli fece cenno di salire. Di fianco, l'appartamento di Chiara e Damiano aveva gli scuri socchiusi come se loro stessero riposando, o forse cercavano solo un po' di privacy.

«Venivo proprio da lei...»

«Vede? Telepatia... è che stavo per passare in caserma ma poi non volevo che gli altri pensassero male, perché se c'è una persona che non c'entra niente con questa storia sono io.»

«La giustizia ha bisogno del suo tempo ma dice quasi sempre la verità.»

«A me quel *quasi* fa paura, dottore!»

«Io però non sono dottore ma il maresciallo Clemente.»

«Eh lo so, ormai è famoso, in paese si parla solo di lei, pure in televisione la citano tutti i giorni... vuole un caffè?»

«No, no, sto a posto. E che dicono?»

«Che sta coprendo il prete... ma questo io non lo so.»

«Sto coprendo il prete per cosa?»

«Non so bene, è la Labbate che lo dice ma non so se per una casa di Monopoli o qualcosa di simile, non mi ricordo.»

«Invece deve cercare di ricordare... ci pensi bene.»

La signora si mise d'impegno perché ci teneva davvero a poter dare una mano alla giustizia.

«Da quello che ho capito, il prete ha avuto in eredità una casa a Monopoli dove andava anche Adoración e ora state cercando un colpevole perché non è che si può condannare un prete a Polignano, ha l'immunità come i parlamentari. E allora dicono che avete arrestato anche Franco perché sempre a lui tocca espiare... povera Ninella, quella è una famiglia davvero sfortunata... e poi ne è successa un'altra che le voglio dire proprio perché io sono come mia figlia: quello che vedo dico.»

«E cos'ha scoperto?»

«L'altra sera c'è stata una discussione qui tra Chiara e Damiano a proposito di un video e non so cosa c'entrasse Adoración... ma lui diceva che li avrebbe potuti rovinare.»

Il maresciallo ascoltava attento.

«E Chiara come ha reagito?»

«Si è messa a gridare che la sentivo da qui e a un certo punto gli ha detto: non è che sei stato tu?»

«E lui?»

«Lì non ho più sentito perché hanno chiuso le finestre, e allora io mi dico: perché? Se non fosse stato lui poteva parlare tranquillamente anche ad alta voce così comunicava a tutti la sua innocenza, non crede?»

«Lei, signora, sospetta quindi che il colpevole possa essere Damiano Scagliusi?»

«Io non sto sospettando di nessuno. Voglio solo collaborare con la giustizia, è chiaro?»

«Certo, e ha fatto bene a parlare con me, anche se poteva dircele queste cose... sua figlia in questi giorni ha visto Gaia?»

«Ovvio che l'ha vista, ogni tanto la sentiamo che piange ma quando viene da noi le bambine si mettono di là e disegnano o recitano, sono due attrici formidabili.»

«Posso vedere i loro disegni?»

«Certo, maresciallo. Io sono sempre pronta a collaborare.»

La signora lo condusse nella stanza di Pamela, che era andata al campo estivo. Sulla scrivania c'erano una pila di fogli colorati: quelli di Gaia erano tutti sotto la fata turchina.

Il maresciallo iniziò a guardarli distrattamente, finché a un certo punto si fermò: un disegno gli fece sgranare gli occhi e gli diede da pensare, ma cercò di non farsi notare. Assomigliava a quello che Chiara aveva consegnato a Perrucci ma aveva qualche elemento in più. La casa non era proprio una casa, ma un trullo. E quella che lui credeva fosse una barca, in realtà era un'amaca.

In quel momento venne interrotto da un messaggio scritto da un'Agata stanca e un po' provata, che non aveva avuto nessun segnale da Gianpiero: "Dora e Modesto sono arrivati in caserma. Li faccio aspettare almeno mezz'ora prima di sentirli così li lasciamo parlare in sala d'attesa".

«Benissimo.»

Il maresciallo iniziava a essere in fibrillazione. Salutò in fretta Lorita, e all'uscita trovò Damiano che stava origliando alla porta:

«Che sta facendo, *uagliò*?»

«Non è solo la vicina che sente i nostri discorsi. Sono anche io che sento i suoi. Quindi la prego di entrare che le spiego cos'è successo.»

Il maresciallo era di corsa, ma di fronte a una testimonianza spontanea doveva trovare il tempo. Damiano era esausto.

Appena chiuse la porta, cominciò a parlare.

«Noi avevamo un problema con Adoración perché aveva visto un video intimo che io e Chiara avevamo fatto mentre facevamo l'amore, così per gioco, per noi. Non volevamo farlo vedere a nessuno, ma lei un giorno mi ha fatto capire di averlo visto... e ci siamo presi paura... non sappiamo se lo avesse p... p... preso in qualche modo dal mio telefono, che tra l'altro non ha il codice perché mia moglie non si fida tanto di me e quindi tutto dev'essere alla luce del sole. E così, anziché denunciarla, le ho dato dei soldi extra sperando che la smettesse, ma stava diventando assillante e a un certo punto l'ho detto a Chiara, che l'altra sera si è di nuovo incazzata perché lei era contraria al video ed era terrorizzata che uscisse in rete.»

«E perché non me l'ha detto prima?»

«Per le conseguenze. Ci avrebbero dato dei d... depravati, mentre siamo stati solo degli sprovveduti. E io mi sono già speso un po' di soldi al gioco per cui a Polignano non ho una grande r... reputazione. Ma la prego, non lo dica a mia moglie.»

Il maresciallo ebbe la conferma di quello che stava accadendo, ma gli venne un pensiero che doveva assecondare a tutti i costi. Tornò a casa a prendere Brinkley, lo mise in macchina e partì alla velocità della luce.

## 41

Il maresciallo arrivò in ufficio con l'espressione di chi ha trovato la soluzione di un enigma solo in apparenza semplice.

«So chi è stato» disse ad Agata che strabuzzò gli occhi, curiosa e vagamente sorpresa.

«Aspetta a parlare e siediti. È appena arrivata la perizia delle impronte digitali sul secondo angioletto e non ho osato aprirla perché aspettavo che ci fossi tu.»

Clemente cominciò a sentirsi nervoso, era convinto di aver sbrogliato la matassa e non voleva essere deluso. Così prese un foglio e scrisse il nome del colpevole.

«Adesso apri la mail e leggi ma non dirmi i risultati.»

Agata annuì senza protestare. Era un momento quasi catartico, per cui emise un lungo respiro e aprì il documento. Sull'oggetto erano state rilevate le impronte di Matilde Scagliusi ma parzialmente sovrapposte c'erano quelle di un'altra persona che adesso aveva un nome e un cognome.

Quando Agata alzò la testa, lesse lo stesso nome scritto sul foglio di Clemente.

Non dissero nulla, ma gli venne da abbracciarsi. Ce l'avevano fatta.

Era stata una ricerca laboriosa, e anche un po' fortunosa, come sempre nella vita. Clemente pensò che quella famiglia e tutti gli invitati alla festa inutilmente sospettati meritassero una spiegazione di cos'era successo quella sera per cui decise – a sorpresa – di convocarli in caserma per un confronto.

Non era una prassi usuale, ma preferiva che le informazioni arrivassero agli interessati direttamente dai carabinieri.

Agata non era molto d'accordo, ma era rimasta così spiazzata dalla risoluzione del caso che accettò e chiese a Perrucci di dare appuntamento a tutti alle sette per comunicazioni urgenti.

Nell'attesa, bevve un espressino con il maresciallo per stemperare la tensione.

I convocati arrivarono puntualissimi e con un'agitazione addosso piuttosto palpabile. Quando vieni chiamato d'urgenza dai carabinieri non è mai una cosa bella.

Fu l'appuntato a sistemarli nella sala grande della caserma, quella con il bandierone dell'Italia, dove venivano prese le decisioni importanti.

Mimì si sedette accanto a Ninella, Chiara con Damiano, Matilde con Pasqualino, Dora con Modesto, Ludmilla con la signora Lorita, Franco accanto al prete, che aveva un'aria particolarmente seria.

Gli occhi verdi del maresciallo, pur luccicanti, tradivano la stanchezza di quei giorni. Per un attimo, pensò che forse non fosse il caso di convocarli tutti, come nei finali di certi film, ma sapeva di aver condotto quell'indagine un po' a modo suo, e ci teneva a spiegare come fosse arrivato alle conclusioni. In fondo era il suo momento di vanità.

«Siamo qui riuniti perché alla serata che la signora Matilde ha organizzato per il compleanno della nipotina è stata ritrovata a terra senza vita Adoración Rodríguez, la governante della masseria. Già, ma chi era veramente Adoración?»

Clemente guardò negli occhi ciascuno dei presenti senza fretta. Agata lo osservava sempre più ammirata, mentre Perrucci non vedeva l'ora che andasse avanti.

«Questa ragazza peruviana, oltre a lavorare presso la signora Matilde, aveva il vizio del gioco, non sappiamo da quanto tempo. Spendeva tutto ciò che guadagnava alle macchinette. E visto che i soldi finivano in fretta, doveva trovare ogni modo possibile per procurarseli. Era disposta a qualunque cosa, anche a ricattare le persone e sfruttare le loro debolezze pur di ottenere altro denaro. Qualcuno di voi credo lo sappia molto bene, vero?»

Don Mimì abbassò lo sguardo e cercò la mano di Ninella, che s'irrigidì.

«Ma vediamo passo passo cos'è successo quella sera. Partiamo proprio da lei, don Mimì.»

Matilde lo fissò con un certo disprezzo, ma lui non si lasciò scalfire.

«... Lei era l'unico a conoscere il suo segreto e aveva discusso con Adoración perché voleva portarle via Ludmilla, ma non era un motivo sufficiente per renderlo sospettabile, e poi risultava troppo alto per averla colpita con l'angioletto.»

Anche se sapeva di essere innocente, don Mimì tirò un sospiro di sollievo e Ninella con lui. Ma lei non fece in tempo a rilassarsi che vide il maresciallo avvicinarsi alla sua sedia. Per una volta, la guardò senza far caso alla bellezza dirompente che l'aveva distratto in più occasioni.

«Anche la signora qui presente non aveva particolari conflitti con Adoración...»

Il maresciallo non era però riuscito a pronunciare il suo nome.

«... tranne che sull'educazione troppo spagnola della nipotina. Durante i fuochi si era assentata dal terrazzo facendo finta di nulla, ma è stata vista nel salotto tv sia da padre Gianni sia da altri ospiti sia dal suo... fidanzato.»

Don Mimì ebbe una sorta di attestato pubblico del proprio legame con Ninella e annuì con il capo.

«Ora, Pasqualino, veniamo a lei.»

Lui irrigidì la schiena come se fosse stato ripreso a scuola. Non riusciva a guardare negli occhi il maresciallo, e allora iniziò a fissarsi le unghie mentre ascoltava il suo verdetto.

«Lei, signor Frattarulo, aveva sicuramente qualche ragione in più per colpirla, visto che questa ragazza aveva cercato di sedurla e di ricattarla, ma quella sera era concentrato su una sola cosa: che lo spettacolo dei cuori viola riuscisse... e le dico anche che molti ci hanno visto delle pere e alcuni delle patate. Quindi la prossima volta forse è meglio scegliere dei fuochi più tradizionali.»

Lui incrociò lo sguardo severo di Matilde, che non era certo contenta che tutti sapessero che i suoi fuochi avevano fatto cilecca. Ma l'atmosfera era talmente pesante che nessuno ci fece caso. Clemente si sentiva addosso gli occhi di tutti ed ebbe per la prima volta la consapevolezza di essere il vero padrone della situazione.

«Anche lei, signora Matilde, poteva essere un'indiziata, perché Adoración aveva ricevuto per errore una sua foto privata sul telefono... e lei per non essere ricattata aveva cercato di compiacerla con un regalo extra che la ragazza aveva convertito subito in denaro. Ma alla fine, e lo dico davanti a tutti, devo ringraziarla pubblicamente perché lei è stata un'ottima collaboratrice di giustizia.»

Matilde stava per alzarsi come a teatro, ma l'istinto la trattenne, per cui cercò il consenso soprattutto tenendo gli occhi fissi sulla bandiera italiana perché aveva sempre creduto nel Tricolore e nell'Inno di Mameli.

«Ma noto che lei, Damiano, è da un po' che mi sta guardando preoccupato, e avrebbe le sue buone ragioni: era sotto ricatto per una faccenda molto personale, ma quella sera durante i fuochi si è allontanato solo per bere qualcosa con sua moglie Chiara. E poi lei fondamentalmente è uno che si mette in altri tipi di guai, come ben sa la sua consorte.»

Damiano provò ad accennare un sorriso che Chiara ricambiò solo perché la notizia più importante era che lui non fosse colpevole.

L'aria si era fatta molto tesa e il silenzio si poteva quasi ascoltare. Agata e Perrucci erano immobili, spalle al muro, ad assistere a quella dissertazione del maresciallo che sembrava muoversi nella stanza come un attore.

«Rimanete in cinque: Franco, Dora, Modesto, padre Gianni e Ludmilla.»

Tutti quelli che erano stati nominati guardarono inconsapevolmente padre Gianni, che aveva iniziato ad agitarsi.

«Uno di voi, dopo aver colpito con l'angioletto Adoración, che poi è caduta sbattendo la testa contro la scrivania, si è reso conto della gravità del fatto e, forse in preda al panico ma molto astutamente, ha pensato di sostituire quell'oggetto per non lasciare tracce. Perché, fate attenzione, l'angioletto usato per colpire Adoración era un altro rispetto a quello trovato di fianco alla vittima.»

Matilde iniziò ad annuire cercando un consenso unanime: era tutto merito suo!

«Per depistare le indagini il colpevole ha afferrato con un fazzoletto un altro angioletto e lo ha lasciato accanto al corpo della vittima. Probabilmente nel farlo cadere si è scheggiata l'ala, portando tutti a credere che quello fosse l'arma del delitto. Quell'angioletto è stato poi toccato da alcuni di voi che, lasciandoci sopra le impronte, sono finiti nella lista degli indiziati. Nel riporlo, forse per la fretta e la concitazione, il colpevole ha sbagliato ripiano: ad accorgersene è stata proprio lei, Matilde, che infrangendo le regole ha fatto un video nel salottino mentre noi cercavamo il suo anello.»

Matilde era sull'orlo della commozione e continuava ad annuire, anche se l'unico che le dava retta era Pasqualino, sempre più attento alle parole di Clemente, che invece si era preso una pausa ad effetto. Voleva distillare lentamente la verità.

«Quell'anello in realtà era in camera da letto ed era stato rubato dal qui presente Franco, che ho voluto con noi anche se è agli arresti domiciliari...»

Lui provò a cercare gli occhi di Ninella che lo fulminò con lo sguardo.

«Durante i fuochi, infatti, Franco contava di effettuare un furto più complesso facendosi aiutare dal complice, quell'intruso che abbiamo identificato in Ciccio Longo, un pregiudicato polignanese, che però, quando ha visto Ludmilla in giardino, è fuggito via. In quella casa, quindi, quasi in contemporanea sono avvenuti un furto e un omicidio.»

Tutti i presenti restarono a bocca aperta e sembravano pendere dalle labbra del maresciallo che aveva iniziato a fare dei giri intorno alla grande scrivania. Si avvicinò lentamente a padre Gianni, le cui sopracciglia erano dirette a tal punto verso l'alto che i suoi occhi parevano solo chiedere pietà.

«A complicare tutto ci si è messo proprio lei, padre, che ha omesso un fatto davvero importante: aveva chiesto ad Adoración di dare una sistemata alla casa di Monopoli che lei ha ereditato dalla zia Menina, che a suo tempo aveva lasciato anche un trullo a Ninella, Modesto e a sua moglie Dora.»

La zia Dora, che fino a quel momento era sembrata impassibile, quasi assente, di colpo spalancò gli occhi cercando conforto nel marito, mentre il maresciallo si avvicinava sempre più a loro.

«Voi che vi dividete tra la Puglia e il Veneto volevate il trullo interamente per voi, e per fare questo a suo tempo avete pagato la vostra parte a Ninella. Peccato che la zia Menina non fosse più così convinta che foste voi i beneficiari della sua proprietà... perché in un secondo testamento aveva scritto che eravate tornati a farle visita solo quando ormai era anziana ed era evidente che le restasse poco da vivere.»

Ninella ascoltava impietrita mentre Dora e Modesto iniziavano a non stare più comodamente seduti. Il maresciallo estrasse dalla tasca un foglio ancora piegato.

«Questo secondo testamento era stato lasciato in casa dentro una busta di Padre Pio, ed è stato trovato da Adoración, che probabilmente anziché pulire casa aveva deciso di frugare nei cassetti per cercare soldi e oggetti di valore. Dentro quella busta aveva scoperto una nuova verità: il trullo avrebbe dovuto essere solo di Ninella.»

Tutti a quel punto la guardarono, ma lei non si scompose. Non aveva mai dato importanza a quel trullo e davanti all'intera vicenda ora le sembrava ancora più insignificante.

«La zona in cui si trova, da pochi mesi è diventata edificabile e dunque il suo valore è aumentato in modo esponenziale, come qualcuno di voi ha già detto in giro. Adoración, nel tentativo maldestro di ricavare soldi da tutti, aveva intrapreso una relazione clandestina proprio con lei, Modesto: vi siete anche incontrati in un bed and breakfast di Conversano dove lei ha dimenticato una sciarpa, che noi avevamo erroneamente pensato appartenesse alla vittima.»

Modesto si mise le mani sugli occhi e sua moglie lo guardò carica di disprezzo.

«Su quell'indumento, il mio cane Brinkley ha riconosciuto nettamente l'odore del colpevole. A darne ulteriore prova c'è stata d'aiuto anche la piccola Gaia, che in uno dei suoi ultimi disegni si era rappresentata a giocare da sola davanti a una casa con un'amaca... quella casa è il vostro trullo, e a dimostrazione sono finalmente arrivate anche le immagini delle telecamere di sorveglianza della villa di fronte alla vostra in cui si vede Adoración entrare nel trullo e lasciare fuori la bambina a giocare. Bambina a cui forse è stato chiesto di mantenere il silenzio.»

Sui due stava calando cupamente lo stigma del giudizio, anche se nessuno dei presenti riuscì a proferire parola. Il maresciallo aveva smesso di camminare ed era rimasto a tu per tu con Modesto, che aveva lo sguardo fisso.

«Non sappiamo esattamente cosa sia successo tra voi due quella sera, ma dopo aver tolto questo testamento dalla busta che è stata poi trovata sotto un mobile in cucina da Ludmilla, Adoración deve averglielo mostrato, probabilmente minacciandola di rivelare tutto se lei non le avesse dato ciò che chiedeva. Vi parlate nel salottino, mentre fuori stanno sparando i fuochi... Adoración vuole altri soldi ma lei non ci sta. La ragazza allora minaccia di scatenare un doppio scandalo: familiare ed economico.

Ed è qui che lei perde il controllo, afferra il primo angioletto che trova e la minaccia, colpendola in testa. È un gesto più di rabbia che altro, lo dicono le analisi. Ma Adoración è minuta e malauguratamente cade e batte la testa contro la scrivania. Lei però, Modesto, commette un altro errore un po' grossolano: prende il foglio con le ultime volontà di zia Menina e se lo mette in tasca in tutta fretta... e non se ne disfa.»

«Che fesso» sibila sottovoce Dora.

Quelle furono le uniche parole che rimbombarono nel silenzio della caserma davanti a un pubblico attonito.

«Il foglio che tengo tra le mani l'ho appena recuperato a casa sua, mentre lei e sua moglie eravate qui in attesa di essere interrogati. Sono entrato nel trullo con il mio cane Brinkley che, dopo aver annusato la busta di Padre Pio, ha ritrovato il foglio che lei aveva lasciato nella giacca. E ora eccoci qui. Modesto Casarano, la dichiaro in arresto per la morte di Adoración Rodríguez. A parte Franco, in attesa del processo, tutti gli altri possono tornare a casa e fare quello che vogliono. Siete di nuovo in libertà.»

## 42

Il maresciallo Clemente era così stanco che neanche Brinkley riusciva a smuoverlo dalla sua sedia di vimini: stava con gli occhi socchiusi, sul terrazzo, a farsi consolare per quella brutta storia che aveva dovuto scoprire. Nemmeno i complimenti del capitano della compagnia di Monopoli l'avevano smosso, così come i tantissimi messaggi ricevuti perché il suo nome era stato pronunciato al Tg1. Il più bello gliel'aveva mandato il sottotenente Maiellaro: "Alla fine avevi solo bisogno che qualcuno credesse in te".

Perché Gino Clemente era e restava un sentimentale, e vedere una famiglia come quella degli Scagliusi – seppur sgangherata – invischiata in una faccenda così penosa l'aveva spossato.

La reazione che più l'aveva scosso era quella di zia Dora, che aveva lasciato tutti di sasso: «Che fesso» aveva detto cinicamente a suo marito.

E poi l'aveva colpito il gran numero di piccoli segreti che erano emersi osservando le persone da vicino. Magari anche sua moglie gli nascondeva qualcosa, chissà se davvero era andata in campagna dalla sua amica per lasciarlo lavorare o invece aveva un amante nel foggiano che le ridava i brividi di gioventù. Del resto anche lui aveva la sua piccola infatuazione per Ninella.

Ma Felicetta era lontano anni luce da quei pensieri. Era tornata abbronzatissima ed era stata vaga tutta la mattina. Lui l'aveva vista entrare e uscire di casa un po' di volte senza dire mai esattamente cosa stesse facendo.

Brinkley a un certo punto iniziò ad abbaiare come faceva sempre quando sentiva dei rumori. Corse al cancello e trovò Agata e Gianpiero su una vecchia Vespa anni Cinquanta.

Felicetta, che aveva organizzato tutto, comparve magicamente all'ingresso, aprì il cancello e disse: «Benvenuti, ragazzi, vi stavamo aspettando».

Il maresciallo la guardò sorpreso e lei rispose: «Li ho invitati io, perché avevamo tutti un conto in sospeso...».

E quando entrarono in cucina, la trovarono apparecchiata con dei piatti nuovi che lei aveva dipinto per l'occasione: ognuno aveva le proprie iniziali sopra e un piccolo San Vito stilizzato.

«Credo che difficilmente ci dimenticheremo di questo San Vito... e volevo dirvi che sono fiera di voi. Non avevo mai visto mio marito così orgoglioso di far parte dell'arma dei carabinieri, e questo è avvenuto anche grazie a te, Agata.»

A quel punto fu Gianpiero a commuoversi più di lei, e l'abbracciò forte.

Ma Clemente restava sempre un polignanese che non voleva mostrare troppo le emozioni, per cui a quel punto invitò tutti a sedersi. La tavola era imbandita di piccoli antipastini, olive, zucchine alla poverella e caciocavallo ai ferri. Ma c'era uno spazio vuoto, al centro, che attendeva solo di essere occupato. Ed ecco che Felicetta, con incedere maestoso, portò sulla tavola un'enorme teglia di parmigiana di melanzane fritte.

«Le ultime a mio marito sono rimaste indigeste, tu Agata le avevi assaggiate controvoglia e non vi conoscevo ancora. Se volete sapere chi sono io, questo è il mio biglietto da visita... ed è la prima volta che le servo su piatti dipinti da me. È un grande onore.»

Agata, Gianpiero, Felicetta e Clemente si accomodarono e levarono i calici al cielo.

Fu il maresciallo a sentirsi in dovere di brindare, e disse quello che non era riuscito a dire in quei giorni concitati, e lo ripeté tre volte: «Evviva San Vito! Evviva San Vito! Evviva San Vito!».

Agata sorrise e pensò che comunque la festa di San Pietro e Paolo a Galatina fosse più bella, ma non lo disse. Il più affamato era Gianpiero, che si era già affezionato a Felicetta da quando l'aveva convinto a giocare a burraco.

Il pranzo fu piacevole e un ottimo modo di esorcizzare il dolore e la malinconia. Nessuno fece più riferimento al delitto e a quello che era successo anche se Felicetta, tra un cambio di piatti e l'altro, si avvicinò a Clemente e gli disse solo: «Te l'avevo detto che c'entravano i soldi» e lui fu costretto ad annuire: le mogli hanno sempre ragione.

Dopo i pasticciotti che Gianpiero aveva portato direttamente da Lecce e dopo il liquore alla ciliegia di cui nessuno chiese il bis, il maresciallo aveva un solo desiderio: cantare al karaoke.

Felicetta e Gianpiero, ormai complici, si rifiutarono di partecipare a quella "tresciata" – come disse la moglie del maresciallo – e abbozzarono semplicemente «andate voi».

Agata se lo sarebbe risparmiato volentieri, ma il maresciallo aveva gli stessi occhi imploranti di Brinkley per cui, dopo un ultimo sguardo a Gianpiero, accettò di scendere nella tavernetta.

Ma le sorprese non erano ancora finite: Felicetta aveva invitato anche un altro ospite che meritava il giusto riconoscimento: l'appuntato Perrucci. Lui, però, come al solito aveva mezze tresche sparse in tutto il Barese che aveva trascurato per svolgere le indagini, per cui passò solo per il caffè. Si presentò bello e spettinato come pochi, con un piccolo segno di rossetto sul collo. Aveva anche ricevuto gli esiti degli esami della sciarpa, su cui era stato trovato un capello della vittima.

«Ora non parliamo più di questo fatto e scendi a cantare con noi.»

«Maresciallo, ma io sono stonato come una campana...»

«Sei stonato ma sei bello... e i belli in una band ci sono sempre stati.»

E così, con Brinkley come unico spettatore, iniziarono a scegliere la canzone che potevano fare tutti insieme. Agata non la voleva in inglese, Perrucci non la voleva troppo alta di tonalità e alla fine il maresciallo decise per tutti: *Si può dare di più* di Morandi, Ruggeri e Tozzi. L'appuntato decise di imitare Gianni Morandi e gli altri due acconsentirono. Brinkey si piazzò lì davanti e si godette lo spettacolo sdraiato sul pavimento, muovendo le orecchie a ritmo di musica.

Felicetta e Gianpiero, nel frattempo, avevano iniziato una nuova partita a burraco.

Ogni tanto, dal piano di sotto, arrivavano canzoni stonate addolcite dal rumore del mare.

## Ringraziamenti

Ho deciso di scrivere un "giallo" in un periodo in cui si poteva viaggiare solo con la fantasia. Una sfida che non avrei mai affrontato senza l'aiuto di Agatha Christie e altre persone meravigliose:

il mio amico Paolo Maralla, sottufficiale dei carabinieri, con cui ho fatto le "indagini"; grazie anche a Giuseppe Perrucci (the original), a Roberto Mallardi e all'Arma dei Carabinieri;

Gianni e Anna Polignano, che amo tanto quanto Gianni e Anna Morandi;

la mia inimitabile editor Joy Terekiev, sempre così speciale, e le mie gialliste del cuore: Ornella Tarantola, Floriana Ferrari e Annamaria Minunno;

Grazie ad Andrea Appella per avermi fatto conoscere Brinkley, a Marco Ponti per alzarmi sempre l'asticella e ai tanti amici polignanesi che mi fanno sentire a casa, in particolare a Pippo L'Abbate e a don Gaetano Amore per la stufa.

Grazie a Marco Miana, Chiara Melloni, Luisa Pistoia, a tutti in Sosia & Pistoia e in Mondadori, in particolare a Giovanni Francesio, Barbara Gatti (!!!), Alberto Bossi, Camilla Sica, Cecilia Palazzi, Cecilia Flegenheimer, la Lori Grossi, Nadia Focile, Mara Samaritani, Cristiana Moroni, Jacopo Milesi, Emanuela Canali.

Infine, grazie ai miei amati Sandra Piana, Felipe Silva, Laura Bosetti Tonatto, Riccardo Saponara, Marco Bianchini, Enrica Ferretti, Cono Casale, Francesca Cinelli, Laura Antonelli, Diego Davide, Peppino Argentieri, Gianpiero Pisanello, Jimmy Giannuzzi, "Titti" Cavallo, l'Albergo Diffuso di Monopoli, gli amici di Trequanda, quelli della "Vineria" e dei "Barboni di Lusso" di Mattinata.

Grazie ai tanti che mi leggono e che soprattutto mi vogliono bene. L'affetto, più del successo, mi emoziona.

Mondadori Libri S.p.A.

Questo volume è stato stampato
presso ELCOGRAF S.p.A.
Stabilimento - Cles (TN)

Stampato in Italia - Printed in Italy